La
vengeance
des anges

Christian Morissette

La vengeance des anges

éditions **PRATIKO**

Révision linguistique : Pierre H. Richard et Chantal Lemay
Édition électronique : Infoscan Collette
Maquette de la couverture : Nathalie Daunais

Diffusion pour le Canada :
   DLL PRESSE DIFFUSION INC.
   1650, boul. Lionel-Bertrand
   Boisbriand (Québec) J7H 1N7

ISBN 2-922889-31-9

Dépôt légal : 2ᵉ trimestre 2006
Bibliothèque nationale du Québec
Bibliothèque nationale du Canada

Imprimé au Canada

Prologue

Depuis qu'ils avaient été recrutés par le groupe de motards le plus puissant et le plus craint au pays, jamais personne ne les avait traités comme ça. Personne n'aurait osé lever la main sur eux car on savait que les représailles seraient démesurées. Personne ne les avait affrontés depuis qu'ils faisaient partie du gang. Sauf leurs patrons, évidemment, mais sur cette question, Verdun ne s'était jamais fait d'illusions. Il n'était pas un chef, pas plus que Robitaille ou Auger. Au mieux, il était un homme de main, un besogneux qui faisait ce qu'on lui disait de faire sans poser de questions et sans contester.

On leur avait confié le mandat de trouver des terres pour faire la culture de marijuana. Verdun avait adoré squatter les fermiers de la région en leur faisant peur pour qu'ils se la ferment. C'était tellement facile de les énerver. Quand les gens savaient qu'ils avaient affaire à des motards, ils se laissaient faire. Ils avaient, avec raison, trop peur des conséquences. Mais Verdun aurait aimé qu'à l'occasion, l'un des fermiers se lève et mette en question les petites cultures qui étaient faites illégalement dans leur champ. Il aurait bien aimé. Juste pour pouvoir leur rentrer leur fierté et leur arrogance dans la gorge. Verdun, comme ses partenaires, adorait faire mal aux autres, particulièrement quand il n'y avait pas de risque pour lui.

Alors qu'est-ce qu'ils foutaient ici ?

Nu et ligoté dans ce qui semblait être un entrepôt désaffecté qui empestait l'urine et le moisi, Verdun ne comprenait pas. Pas plus qu'il ne comprenait pourquoi Auger et Robitaille se trouvaient dans la même position que lui.

Ils étaient sortis du bar de danseuses vers vingt-deux heures pour aller faire la tournée des plantations de mari. Auger et Robitaille détestaient autant que lui cette corvée qui leur apparaissait complètement inutile. La mari ne poussait pas plus vite ni moins vite parce qu'on allait la voir… Mais aucun des trois n'aurait osé aller dire cette vérité au patron. Sa réaction aurait été trop désagréable. De sorte qu'ils avaient, comme d'habitude, suivi les ordres. La nuit sans lune était d'un noir d'encre.

En revenant à leur camion dissimulé dans un bois près du premier champ squatté qu'ils avaient visité, on les attendait.

— Alors, les cocottes, on se promène tout seuls la nuit ?

— Qui est là ? avait demandé Verdun en faisant un mouvement pour prendre un pistolet.

— Pas de ça, ma poule, avertit la voix en relevant le canon d'un fusil. Si tu bouges encore, j'te fais sauter la rotule.

Celui qui avait parlé n'était pas seul. D'autres personnes s'étaient approchées par derrière et les avaient ligotés après les avoir débarrassés de leurs armes.

— Vous savez vraiment pas ce que vous faites, lança Verdun, sûr de lui. Vous nous laissez tout de suite et on vous fera pas trop mal.

— On sait très bien ce qu'on fait, avait répondu calmement la voix.

— Oh non ! railla-t-il. Vous savez vraiment pas ce qui vous attend si vous nous laissez pas tout de suite. Vous savez pas avec qui on travaille. Vous aurez nulle part où vous cacher et quand on vous retrouvera…

— Tu te trompes, ma poule, on sait exactement qui vous êtes.

Sans ménagement, on les avait poussés vers une camionnette pour les conduire à l'entrepôt. On leur avait ordonné d'enlever leurs vêtements et on les avait laissés debout, nus, les mains attachées dans le dos. Pour la première fois depuis des années, Verdun avait peur. Il savait très bien que Robitaille et Auger étaient aussi paniqués que lui. Le calme et la détermination qu'ils voyaient dans les yeux de leurs geôliers les déstabilisaient.

— Qui êtes-vous ? hurla Verdun. C'est assez maintenant. Laissez-nous partir, sinon vous me le paierez.

— Oui, cria à son tour Auger. Quand on vous retrouvera, j'vous jure que vous allez en baver.

Alex, qui semblait responsable du groupe s'approcha lentement en les défiant du regard.

— Bien sûr, les cocottes. On va vous laisser tranquille très bientôt. Mais avant, on va jouer à un nouveau jeu. Jean-Philippe, amène le premier vers l'établi et toi, apporte-moi le marteau.

L'homme qui s'appelait Jean-Philippe avait poussé Auger et lui avait collé les reins à l'établi en s'emparant de ses mains liées pour en plaquer une à plat sur la surface métallique. Verdun vit Alex s'approcher d'Auger avec le marteau. Auger, les yeux exorbités, la tête tournée vers l'arrière pour tenter de voir ce qui se passait, commença à crier avant que le premier coup ne lui écrase l'index. Il hurla de nouveau quand il vit le marteau remonter pour viser un autre doigt.

Chapitre 1

Il était près de trois heures du matin. Comme toutes les nuits, Michel et Régis étaient stationnés dans leur ambulance près du restaurant de beignes ouvert vingt-quatre heures. Michel se préparait à avaler son deuxième beigne fourré à la fraise pendant que Régis terminait sa collation et son café.

Michel, dans la cinquantaine, plus que bien enveloppé, avait des traits souriants et des yeux vifs qui le rendaient sympathique dès le premier abord. Il était ambulancier depuis vingt-cinq ans et il adorait encore son métier. Pendant quinze ans, il avait été à Montréal où il avait vu tout ce qui était imaginable de voir dans ce genre de travail. Depuis les blessés graves des accidents de voiture jusqu'aux meurtres, aux viols, aux règlements de comptes de la mafia, sans oublier le transport régulier de personnes âgées vers l'hôpital pour leurs traitements mensuels, rien ne lui avait été épargné. Mais tout ça était devenu trop lourd. Alors, il y a dix ans, il avait déménagé avec sa famille à Rimouski, petite ville agréable près du fleuve Saint-Laurent. Il s'y plaisait. Les meurtres ici étaient rares, pour ne pas dire inexistants. Il y avait les accidents, bien entendu. Avec souvent des blessés très graves, particulièrement en hiver alors que les routes étaient régulièrement périlleuses. Mais, dans l'ensemble, il y était bien. Sa famille s'y était merveilleusement adaptée et ses deux garçons poursuivaient désormais leurs études à l'Université Laval de Québec, ce qui lui avait permis de se rapprocher de son épouse qu'il adorait.

Au volant du camion, il regardait le fleuve. Il ne s'en lassait jamais. D'ailleurs, ici, le Saint-Laurent était si large que tout le monde l'appelait la mer. Et c'était bien l'impression qu'on avait, puisqu'on ne voyait pas de l'autre côté à moins que l'air ne soit parfaitement limpide. Ce qui n'était pas le cas cette nuit. Le temps était à l'orage. Le vent lourd et chaud, même près du fleuve, faisait ourler les vagues. Il aurait aimé être comme les marins ou les pêcheurs du coin et pouvoir prédire le temps en jetant simplement un coup d'œil au fleuve et en humant son l'odeur. Mais quand il s'y risquait, il se trompait bien neuf fois sur dix.

Lorsqu'il allait à la pêche à l'éperlan sur le gros quai de Pointe-au-Père, il s'installait toujours près des vieux. Il leur parlait, tentant de comprendre ce qu'ils voyaient dans le fleuve et ce qu'ils sentaient dans l'air pour prévoir le temps. C'était peut-être moins efficace que d'écouter la chaîne météo à la télé, mais c'était tellement plus intéressant.

Régis, lui, venait de commencer dans le métier. En fait, il était coéquipier de Michel depuis le moment où il avait terminé ses cours, voilà presque trois ans. Encore un « bleu » dans cette profession. Outre la période pendant laquelle il avait dû aller étudier dans la grande ville, il avait toujours vécu à Rimouski. Il y était né et comprenait très bien l'amour de son coéquipier pour ce coin de pays, puisqu'il le partageait.

C'est lui qui avait initié Michel à la pêche à l'éperlan. Et aux autres pêches en fait. Il l'amenait à la truite dans les petits ruisseaux qu'on trouvait dans les montagnes derrière Rimouski et il lui avait fait découvrir la pêche à la morue au large. Bien sûr, la morue était de plus en plus rare. On n'en trouvait plus comme au temps des anciens. Mais il était toujours plaisant d'aller jigger. Il se souvenait très bien de la première fois où il y avait emmené Michel. Régis était passé le chercher avant l'aube. Il avait emprunté le bateau de son frère et ils étaient partis, seuls, vers le large.

— Alors Michel, le cœur tient? lui avait-il demandé.

Michel avait le teint aussi vert que son chandail. Il était loin d'avoir le pied marin et la houle faisait danser le bateau dans tous les sens depuis que Régis avait arrêté le moteur pour lui expliquer les rudiments de la pêche à la morue.

— Ça peut aller, avait-il menti.

Il sentait la nausée l'envahir et il se demandait bien quel plaisir on pouvait trouver à être aussi loin du plancher des vaches. Il faut avouer que jigger n'est pas palpitant à ce point. Une fois qu'on a appâté la ligne, on la jette à l'eau, puis d'un mouvement de va-et-vient régulier de l'avant-bras, on fait avancer et reculer l'appât qui se trouve au bout. Le problème, c'est qu'on ne sait pas si ça mord. La morue n'est pas un poisson combatif. Il suit tout simplement. Alors quand après plusieurs minutes on se demande si l'appât est encore là, on ramène la ligne pour se rendre compte, à la dernière seconde, qu'une morue y est accrochée. Bref, rien de passionnant, du moins pour quelqu'un comme Michel qui se sentait le cœur près des lèvres. D'autant plus que Régis prenait un malin plaisir à manger avec appétit quelque chose qui ressemblait vaguement à un sandwich. Au fil des sorties, Michel avait toutefois fini par apprécier être au large et sentir les embruns lui fouetter la figure.

Régis, de son côté, s'était bien adapté à travailler la nuit. Il pouvait consacrer le temps qu'il voulait au gym, dormir quelques heures et être en forme quand sa femme rentrait à son tour du boulot. Une vie simple qui lui plaisait.

La radio jouait le nouveau succès de Céline Dion. Régis et Caroline, son épouse, étaient des fans.

— Tu sais qu'on pense aller voir un de ses spectacles l'hiver prochain à Las Vegas? dit Régis.

— Un peu que je le sais. Tu m'en as parlé quelques milliers de fois, répliqua Michel. J'ai même pensé faire une collecte pour te permettre d'aller la voir au plus tôt, pour que t'arrêtes de m'en parler... Puis je me suis dit que ça changerait rien parce qu'après tu me raconterais tous les détails du spectacle que tu auras vu. Probablement que tu me montrerais aussi tes photos. Alors je suis perdant sur toute la ligne.

— Quoi ? Tu trouves pas que c'est la meilleure chanteuse au monde ? Bordel, Michel, parfois j'ai l'impression que t'as le cœur comme un fer à repasser. Tu ne veux ...

Il n'eut pas le temps de compléter ce qui aurait pu être un long exposé sur la diva car la centrale les contactait.

— Voiture douze. Urgence !

— Voiture douze à l'écoute, répondit Michel.

— Rendez-vous à l'ancien entrepôt de Québec-Téléphone sur la route de Sainte-Blandine.

— Je vois où c'est. Bien compris, centrale. On est en route. Est-ce qu'on sait de quoi il s'agit ?

— Des meurtres à ce qu'on nous a dit. Recontactez-nous quand vous aurez terminé.

Michel remit le micro en place. Il lança le moteur, alluma les gyrophares et prit la route qui longe le fleuve pour aller rejoindre la 232. « Qu'est-ce que tu en penses ? » demanda Régis qui hésitait entre la peur et l'excitation à la pensée de voir son premier crime.

— Rien de bon... Rien de bon mon gars !

* * *

L'entrepôt désaffecté se trouvait en retrait de la route. Une vieille bâtisse en métal, comme on en faisait à l'époque. Un endroit laissé à l'abandon depuis plusieurs années et qu'on avait même oublié de détruire. Elle gardait la pose, témoin immobile d'une époque maintenant révolue. Les quelques fenêtres qu'on y voyait avaient été brisées par les gamins au fil des ans. Ce qui restait de la peinture ne tiendrait pas longtemps. L'hiver, le froid et la neige venaient à bout de tout. Seule la rouille semblait prospère.

L'édifice se trouvait tout près d'un champ cultivé où les pousses de blé d'Inde, bien droites, atteignaient déjà un mètre de haut. C'était excellent si on considérait que le mois d'août venait de commencer.

L'air était lourd et aucune étoile ne parvenait à percer la couverture de nuages noirs qu'on devinait dans le ciel. Habituellement, l'endroit était désert. Personne n'y venait plus depuis que la compagnie de téléphone avait construit son nouvel entrepôt de l'autre côté de la ville. Ce soir pourtant, il y avait de l'activité. Plusieurs voitures de police, gyrophares allumés, étaient garées en désordre et de puissants projecteurs éclairaient d'une lumière crue tout un côté de l'édifice. Il y avait même quelques badauds qui regardaient le travail des policiers depuis le bord de la route. Comment avaient-ils su qu'il se passait quelque chose ici, en plein champ et en plein milieu de la nuit? Impossible de le savoir. Pourtant, comme dans toutes les catastrophes, ils étaient là, vivant un drame en direct, même s'ils ne savaient absolument pas de quel genre de malheur il pouvait s'agir.

Il y avait du mouvement un peu partout. Une chorégraphie où on sentait que chacun savait ce qu'il faisait. Les policiers cherchaient des indices, des traces, des empreintes. Une activité qu'on n'avait pas vue depuis plusieurs années, qu'on n'avait jamais vue, en fait.

À l'approche du sentier qui menait à l'entrepôt, Michel ralentit son ambulance. Il regardait lui aussi un spectacle qu'il n'avait pas revu depuis sa vie précédente dans les rues de Montréal. Il savait très bien ce que tout ça signifiait. Une mort brutale. Le début d'une enquête. Il fit avancer doucement son camion dans l'allée envahie par l'herbe folle et le foin. Les nombreuses voitures qui l'avaient précédé avaient ouvert la voie. Il fallait malgré tout être prudent car les trous étaient profonds et nombreux.

— Qu'est-ce qui peut bien s'être passé? demanda Régis.

— On ne va pas tarder à le savoir, répondit Michel.

Un agent s'avançait vers eux en leur faisant signe d'arrêter. Michel reconnu immédiatement le sergent Heppell. Dans une petite ville comme Rimouski, tout le monde se connaissait.

— Qu'est-ce qui se passe Éric? On nous a dit qu'il y avait eu un meurtre. C'est vrai? demanda Michel en s'adressant au policier qui était aussi l'un de ses partenaires de poker le vendredi soir.

— Pire que ça, dit-il en s'appuyant sur la portière. On a reçu un appel de Georges Comtois, tu sais, le cultivateur à qui appartient la terre. Ses fils, qui voulaient probablement aller faire un mauvais coup dans l'entrepôt, ont découvert trois corps. Un règlement de comptes. C'est ce qu'on croit pour le moment. Approche de l'entrée principale avec ton ambulance. Le capitaine et les autres vont bientôt en avoir terminé avec les corps.

— On sait de qui il s'agit?

— Pas moi en tout cas. Et s'ils le savent, ils n'en ont pas parlé.

À l'intérieur du hangar, toutes les activités étaient concentrées dans le coin le plus éloigné de la porte. Un paravent de fortune avait été monté autour des corps. Il y avait bien une dizaine de personnes. Michel reconnu le docteur L'Écuyer qui faisait aussi office de légiste, le capitaine Dufour de Rimouski, et Pierre Dupuis, le photographe de la Sûreté du Québec. Il en connaissait certains autres de vue, mais les autres policiers devaient appartenir à la Sûreté du Québec. En tout cas, il ne se souvenait pas les avoir vus.

En entrant, près de la porte, l'un d'eux prenait la déposition des fils Comtois. Ils semblaient à la fois excités et effrayés. En fait, plus effrayés qu'excités. Un truc comme ça n'arrive pas souvent dans le coin. Pour une fois, leurs mauvais coups faisaient d'eux des vedettes. Demain, tout le monde parlerait de cette affaire et voudrait entendre la version des jeunes. Leur heure de gloire, en quelque sorte. Mais ils n'avaient pas l'air de gens qui se sentent importants. Ils semblaient plutôt sous le choc. Aucun des deux ne regardait du côté des cadavres. Ils étaient blancs comme des draps.

— Alors répétez-moi pourquoi vous êtes venus ici? demanda l'inspecteur.

— On voulait juste faire un tour. On l'a déjà dit à l'autre là-bas, répondit Nicolas Comtois qui était aussi l'aîné des deux.

— On voulait voir si on pouvait installer ici une vieille auto qu'on veut rebâtir, compléta Gabriel. On faisait rien de mal. Pis personne vient plus ici depuis longtemps. On voulait juste se trouver un endroit à nous.

— À quelle heure êtes-vous venus?

— Près d'une heure du matin, je pense.

— Pas beaucoup plus tard, c'est certain, ajouta Nicolas, parce qu'on venait d'écouter notre émission de sport à la télé.

— Bon. Et qu'est-ce que vous avez fait une fois ici?

— On a commencé à faire le tour, expliqua Nicolas. On avait nos lampes de poche et il faisait vraiment très noir. On se demandait à quel endroit on pourrait installer notre matériel, comment on pourrait traîner l'auto jusqu'ici... pis là... en arrivant au fond...

— J'ai jamais eu peur comme ça, le coupa Gabriel. Au début, j'ai pensé que c'était des sacs qui avaient été laissés ici. Il faisait sombre, même avec nos torches on ne voyait pas grand-chose. C'était drôle parce qu'on est souvent venus ici et il y avait pas de sacs. Pis là, Nicolas a vu que c'était du monde. Ouah, j'oublierai jamais ça. Y avait du sang partout...

— On est partis en courant jusqu'à la maison et on a réveillé le père. C'est lui qui a téléphoné à la police.

— Vous n'avez vu personne dans les environs durant la soirée ou quand vous êtes venus? demanda l'inspecteur.

— Non. Rien de spécial. Il y avait personne quand on a trouvé... ça ! Durant la soirée, je pourrais pas dire parce qu'on avait du travail à la ferme et après on est restés à la maison jusqu'à ce qu'on vienne ici, expliqua Nicolas.

Le policier continuait à poser ses questions pendant que Régis et Michel s'approchaient du fond de l'entrepôt, avec leur brancard. Des toiles cachaient la scène. Ils avaient pris trois enveloppes noires qui serviraient à mettre les cadavres. Michel en avait vu de toutes les couleurs à Montréal. Comme dans toutes les grandes villes du monde, la violence était dans tous les coins. Il n'avait jamais compris comment un homme pouvait en tuer un autre avec parfois une brutalité inimaginable. Sur le coup de la colère certains posaient des gestes horribles. Et d'autres, il en avait aussi vus, agissaient avec un sang froid encore plus terrifiant.

Le capitaine Dufour, près des rideaux qui dissimulaient les dépouilles, discutait avec le docteur L'Écuyer et deux autres personnes quand il vit arriver les ambulanciers. Il s'excusa et s'approcha de Michel.

— Salut mon vieux. Je suis content que tu sois de service cette nuit. Ça donne un choc.

— On m'a dit que trois personnes ont été tuées, dit Michel.

— C'est pas juste un triple meurtre. C'est une exécution. Comme si on avait voulu laisser un message à quelqu'un quand on les a tués. Tout ça est peut-être lié au trafic de la drogue. Les inspecteurs de la Sûreté du Québec qui vont travailler avec nous sur l'affaire le pensent. Ils disent qu'ils savent qu'on cultive beaucoup de mari dans la région. Au matin, ils vont faire survoler les champs du coin par un hélicoptère pour tenter de voir s'il y en a autour de l'entrepôt. Viens, je vais te les présenter, ajouta-t-il en se retournant.

Il y avait là le docteur L'Écuyer mais aussi une femme et un homme. Ce dernier ne passait certainement pas inaperçu. Il avait le teint foncé, les cheveux noirs et lisses. Il portait un costume qui ne semblait pas du tout à sa place dans un endroit sale et humide comme ici. Il avait l'air de quelqu'un qui assiste à une soirée de gala. Le veston, probablement griffé, tombait parfaitement sur des épaules musclées. Chemise de soie et cravate Cardin s'agençaient à son teint et faisaient très « classe ».

— Messieurs, voici Michel Langlois, un bon ami et le meilleur ambulancier de la région. Et Régis Fortin, son coéquipier. Se tournant vers Michel il ajouta : « Voici le docteur L'Écuyer, les inspecteurs Tony Palomino et Ève Saint-Jean, de la Sûreté du Québec. »

Les salutations à peine terminées, l'inspecteur Palomino entra dans le vif du sujet.

— J'imagine que vous connaissez un peu tout le monde dans la région ?

— On se promène beaucoup, confirma Michel.

— Je vous demanderai pas si vous connaissez nos trois bonhommes parce qu'il reste pas grand-chose de reconnaissable, mais peut-être avez-vous vu dernièrement des étrangers un peu louches, genre motards, dans le secteur ?

— Vous savez, en été, il y a des tas de touristes de tous les genres qui sont dans le coin. Dans le lot on voit aussi des motocyclistes qui ont des allures de durs. Mais en fait, j'ai rien noté de spécial. Et toi, Régis ?

— Moi non plus. C'est vrai qu'au gym, depuis une ou deux semaines, y a des types qu'on rencontrait pas avant. Mais j'peux pas dire plus.

— Ceux qui ont fait ça sont certainement des pros. Et ils sont probablement très discrets, dit Ève Saint-Jean. J'aurais été étonnée que vous puissiez nous aider. Mais ça vaut toujours le coup d'essayer… et mon partenaire est un maniaque des détails, ajouta-t-elle en lui lançant un clin d'œil.

Sa voix était chaude et posée. Dans la jeune trentaine, les cheveux roux coupés courts, on remarquait surtout ses yeux verts très expressifs. Il était aussi évident qu'elle ne laissait pas les tendances de la mode avoir le dessus sur son confort. Ses jeans, avec des baskets orange et son t-shirt de l'équipe de football de Montréal qu'elle portait sous une chemise carrelée ouverte laissant malgré tout voir un étui à revolver, faisaient un contraste étonnant avec la tenue grand style de Palomino.

— On a fini avec les corps, dit le capitaine Dufour. Alors vous pouvez nous en débarrasser, conclut-il en se tournant vers les inspecteurs de la Sûreté du Québec. Il voulait en terminer au plus tôt pour sortir de là.

— On se revoit demain, ajouta-t-il. Le rapport du légiste devrait être prêt en matinée… à mon bureau.

Michel et Régis passèrent de l'autre côté des toiles qui cachaient les corps. Mais si les années à travailler dans la métropole pouvaient l'avoir préparé à ce qu'il découvrait maintenant, ce n'était pas le cas de Régis.

Dans le coin de l'entrepôt, sur le béton sale et humide, gisaient trois cadavres. Les trois hommes étaient nus, leurs vêtements empilés un peu plus loin. Le ou les meurtriers ne leur avaient laissé que leurs bas sales et troués. Ils avaient été exécutés, de dos, d'une balle dans la tête tirée par une arme de fort calibre. Il y avait du sang et des morceaux de cervelle partout. Les trois corps étaient côte à côte, face contre terre, comme si l'assassin les avait agenouillés avant de les abattre. Il ne restait pas grand-chose de leur visage. Juste une bouillie méconnaissable où le sang commençait à sécher. Leurs doigts avaient été cassés. Écrabouillés serait plus exact.

Régis recula et sentit ses tripes qui voulaient sortir. Ses yeux trahissaient l'horreur de ce qu'il voyait. Il allait perdre connaissance.

— Respire, lui dit Michel en le prenant par les épaules et en le regardant droit dans les yeux. On a un travail à faire. Et eux, tu peux plus leur faire mal. Alors reprends-toi et donne-moi un coup de main.

Il le secouait en lui parlant pour qu'il revienne à la réalité. Lentement, ses yeux se détournèrent et il fit signe que tout allait mieux.

Ils se penchèrent alors vers le premier cadavre pour l'enfermer dans l'un des sacs noirs. En tournant le corps, Régis vit qu'on lui avait aussi tranché les organes génitaux. Le pénis avait été laissé un peu plus loin, comme un trophée dont on ne veut plus. C'en était trop. Régis se tourna et vomit son repas.

Chapitre 2

Ève Saint-Jean prenait sa douche. L'eau chaude l'aidait à se réveiller et la sensation était agréable sur son corps. La nuit avait été particulièrement courte. Elle avait demandé à Tony de la rejoindre vers neuf heures pour déjeuner au restaurant de l'hôtel. Elle voulait faire le point avant d'aller à la réunion au quartier général de la police de Rimouski. Officiellement, les meurtres relevaient de la juridiction locale mais elle croyait qu'ils pouvaient faire partie d'un problème plus vaste. Peut-être le début d'une autre guerre des gangs au Québec.

La façon dont on avait mutilé les corps la perturbait. Elle n'avait pas pu dormir en rentrant. On lui avait dit qu'il y avait un petit bar sympa sur l'avenue de la Cathédrale. Le Bar-O, largement visité par les étudiants en droit de l'Université de Rimouski. Il était évidemment fermé lorsqu'elle était passée devant. Elle s'était juré d'y revenir aussitôt qu'elle en aurait la chance, d'autant plus que cette semaine il y avait des spectacles de blues tous les soirs. Elle adorait le blues et le jazz. Et l'ambiance lui rappellerait ses études de droit. Une période qu'elle avait toujours su reconnaître comme étant l'une des plus intéressantes de sa jeunesse. À l'université, elle était considérée comme une « tête ». Faire en même temps des études avancées en psychologie et suivre ses cours de droit en laissaient plus d'un songeur. Le pire, pour la plupart de ses amis, c'est qu'Ève continuait à avoir du temps pour s'amuser. Alors que les

21

autres trimaient pour compléter tel ou tel devoir, pour finir à temps tel ou tel travail, Ève semblait toujours tout réussir du premier coup. Embêtant pour ses relations avec les garçons. Rares étaient ceux qui acceptaient d'être avec une fille plus ou trop intelligente. Bien sûr, et elle le savait très bien, Ève n'était pas une beauté sur laquelle tous les garçons se retournent. Elle avait pourtant un style et un charme incroyable. Les épaules peut-être un peu trop fortes pour être parfaitement féminines. Mais elle avait des yeux pétillants d'intelligence et un sourire qui engageait à la confidence. Bref, quelqu'un de sympathique pour une intellectuelle. Son goût de l'aventure et surtout son immense curiosité l'avaient ensuite amenée dans les forces policières. Devenir enquêteur au criminel avait été une formalité pour elle. Son travail la passionnait et elle s'y donnait à plein.

La veille, donc, Ève s'était contentée d'un hamburger et d'une frite servis dans un pittoresque autobus-restaurant près du fleuve. Le soleil se levait quand elle était enfin rentrée dans sa chambre. La nuit avait été vraiment courte. En sortant de la douche, la serviette enroulée autour des épaules, elle jeta un coup d'œil par la fenêtre, histoire de voir le temps qu'il faisait. Le ciel était toujours lourd et sombre. L'orage qui couvait depuis la veille ne semblait pas vouloir éclater. Mais ça viendrait. Il ne lui restait plus que quelques minutes avant d'aller rejoindre son partenaire. Heureusement, Ève ne se maquillait pas et ne se posait jamais de questions sur sa tenue. Les jeans, ses vieux complices, l'attendaient toujours.

***

— Oui mamma. Je sais… Je lui en parlerai à mon retour… D'accord, je lui donnerai un coup de fil tout à l'heure pour… Oui, je sais qu'il va pleuvoir… Oui mamma, je t'aime aussi. À plus tard !

Tony Palomino raccrocha le combiné sans brusquerie, sans colère. Sa mère le considérait encore comme son petit. Elle se permettait toujours de lui téléphoner quelle que soit l'heure ou quelle que soit la raison. La famille italienne, c'était aussi ça. Il y était habitué. Sa mère n'avait jamais accepté qu'il fréquente, depuis quelques années, Lise, une Québécoise. Une fille me-veilleuse, splendide et intelligente qui acceptait son métier de policier et les horaires qui venaient avec cette profession. Mais elle n'était pas Italienne. Même ses frères et ses cousins lui en faisaient parfois le reproche. Ce qui ne les empêchaient pas de la flirter avec toute l'assiduité dont sont capables les Italiens. Lise – deve-nue Lisa pour sa famille – acceptait ces démonstrations avec simplicité et beaucoup d'humour. C'est plutôt Tony qui le prenait mal. La jalousie n'est peut-être pas italienne, mais les Italiens y succombent souvent.

Tony n'avait pas dormi beaucoup non plus. Après deux courtes heures de sommeil, il s'était levé pour aller faire une brève session d'exercices au gym de l'hôtel. Pas suffisamment bien équipé à son goût. Il devrait en trou-ver un autre sous peu, surtout s'ils devaient rester ici quelque temps. L'ambulancier n'avait-il pas dit hier qu'il était membre d'un gymnase dans le coin ? Il faudrait qu'il se renseigne. L'entraînement, c'était l'une de ses passions. Il aimait ce défi contre lui-même. Faire travail-ler ses muscles autant que possible. Il s'était construit un corps musclé sans pour autant tomber dans un cultu-risme à la Schwarzenegger. Il préférait développer la force et l'agilité, ce que les biceps trop gonflés ne per-mettaient pas. L'exercice était devenu une habitude de vie, comme surveiller son alimentation. Pas qu'il avait des problèmes d'obésité – même s'il devait faire atten-tion aux pâtes – mais simplement pour demeurer en par-faite santé. Il considérait que ça allait avec son métier. Qu'il ne pouvait se laisser aller.

Sa véritable manie, c'était les vêtements. Presque tout son argent y passait. Des complets signés Armani, Versace, Cavalli (qu'il affectionnait spécialement) et des chaussures Gucci ou Prada grugeaient inlassablement son salaire. Évidemment, il n'y a jamais de soldes pour les costumes griffés et faits sur mesure. Ève disait parfois qu'à côté des sommes qu'il investissait dans ses vêtements, le déficit annuel du gouvernement avait l'air d'une farce. Pure mesquinerie de sa part qui ne comprenait absolument rien à la mode, songeait Tony.

Lorsqu'il arriva au restaurant de l'hôtel, Ève lisait le journal du matin en terminant une assiette d'œufs, bacon et fèves au lard.

— Tu fais toujours attention à ton cholestérol à ce que je vois.

— On ne parle pas encore des meurtres dans le journal, répondit Ève sans relever le sarcasme de Tony. Mais il en était question à la radio ce matin. Seulement des généralités mentionnant qu'un triple meurtre avait été commis. Aucun détail pour le moment, mais les journalistes ne tarderont pas à être sur notre dos. Un triple meurtre dans la région c'est pas banal.

— De toute façon, ils iront voir la police de Rimouski. Pas nous.

Ève leva les yeux du journal.

— Tiens ! Tu as pris le look de Travolta dans Swordfish ce matin. Décontracté à souhait. Surtout avec les baskets Prada qui doivent coûter le prix de ma voiture. Tu passes presque inaperçu.

Pendant un instant, les yeux de Tony flamboyèrent. Comment pouvait-elle toujours trouver la phrase qui le mettait en colère. Si au moins une fois il avait pu lui rendre la pareille. Il se commanda un bol de fruits et un jus d'orange.

— Mais tu sais aussi bien que moi, continua-t-elle, que lorsqu'ils sauront que nous participons à l'enquête, c'est nous qui aurons les journalistes sur le dos.

Ève reposa sa tasse après avoir bu une gorgée.

— Sérieusement. J'y ai beaucoup réfléchi hier. Pourquoi, si c'est une histoire de guerre pour le contrôle de la drogue, a-t-on torturé les trois hommes hier ? Pour donner un message à un groupe qui devient trop encombrant ? C'est pourtant pas le genre de ces gars-là. Une sérieuse raclée, un meurtre à l'occasion pour bien indiquer que vous êtes dans un territoire protégé. Oui ! Ça va. Mais le genre d'exécution de cette nuit, je ne comprends pas.

— Peut-être un nouveau groupe qui veut prendre le contrôle ? Peut-être qu'ils voulaient les faire parler, leur faire dire qui est derrière tout ça ?

— En tout cas, c'est pas le genre des motards. Ni de la mafia. Qu'est-ce que tu en penses ? La mafia pourrait être derrière ça ?

— Qu'est-ce que tu veux que j'en sache ? Parce que je suis Italien tout le monde a l'air de penser que je connais tous les rouages de leur organisation et qu'ils me consultent avant d'agir. Merde ! Je suis Italien, pas le Parrain.

— On se calme mon petit Pacino d'amour. J'en faisais pas une attaque personnelle contre les Italiens.

— De toute façon, on ne pourra rien faire tant que le légiste n'aura pas terminé son autopsie et qu'on aura pas identifié les cadavres.

— Dufour devrait pouvoir nous donner des nouvelles à la réunion. Mais si tu veux, avant d'aller au quartier général de la police, on devrait passer faire un tour à l'entrepôt. Histoire de jeter un coup d'œil en plein jour. Et, ajouta-t-elle en regardant sa montre, l'hélico de la SQ devrait justement faire sa tournée à l'heure qu'il est.

***

Si en pleine nuit l'entrepôt avait l'air sinistre, le jour il était tout simplement lugubre. Aussi moche qu'on peut le souhaiter pour un film d'horreur. Sauf que ce n'était pas un film. Ève n'avait pas voulu revenir pour trouver un indice qui aurait échappé aux policiers la veille, mais pour s'imprégner de l'atmosphère. Tenter de comprendre ce qui avait poussé les criminels à faire une exécution qui avait l'air d'un sacrifice. Était-ce vraiment pour donner un message à un nouveau groupe de trafiquants ? Pour leur faire comprendre qu'ils s'aventuraient en terrain miné ? Ou y avait-il autre chose qu'elle devrait voir ?

Le sang avait noirci. On voyait encore l'emplacement et la position dans laquelle on avait trouvé les cadavres. Ève tentait de revoir comment les événements s'étaient déroulés. On leur avait dit de se déshabiller. Le doute et la crainte avaient dû soudain les imprégner. Puis l'angoisse quand ils s'étaient rendu compte que ceux qui les séquestraient ne riaient pas. La douleur quand ils s'étaient fait écraser les doigts. La peur qui avait dû envahir le dernier quand il avait vu les tortionnaires commencer à broyer les os de ses camarades. Jusqu'à ce que son tour arrive. L'horreur quand le couteau s'était avancé vers leur pénis. Était-ce avant ou après leur exécution ? Voilà ce qu'Ève tentait de comprendre et de revivre.

Sale boulot !

De son côté, Tony, qui faisait attention où il mettait les pieds pour ne pas abîmer ses chaussures, réexaminait les lieux en détail. Quelque chose leur avait échappé. C'était certain. Il y avait toujours un indice. Il fallait le voir. Tous les criminels laissaient des traces. Même les tueurs professionnels.

***

Les images de la soirée lui revenaient. Le sang, la brutalité, la violence. Mais aucun doute et aucun remords dans les yeux des personnes qui l'accompagnaient. Pas plus que dans les siens d'ailleurs. Juste une froide détermination à faire passer un message en faisant le plus de dégâts possible. On savait déjà que ce n'était qu'une étape. Que d'autres rendez-vous seraient programmés pour les prochaines semaines, peut-être même dans quelques jours ou quelques heures.

En attendant, il fallait se faire oublier. Rester tranquille. C'était déjà assez dangereux comme ça, sans prendre le risque que la police puisse avoir des soupçons. Il faudrait donc aller travailler normalement ce matin. Un emploi pourri mais qui donnait une légitimité à sa vie. Et puis de toute façon il était impossible de dormir. Pas encore.

***

Le capitaine Dufour était déjà avec le docteur L'Écuyer quand Tony et Ève revinrent de l'entrepôt. Le docteur tenait son rapport préliminaire devant lui sur la table de réunion. Beau bonhomme, se dit Ève en l'examinant plus attentivement. Il devait avoir un peu moins de quarante ans, les cheveux bruns bouclés qui grisonnaient légèrement sur les tempes. Quelques rides marquaient son visage, mais elles semblaient davantage faites par les sourires que par les soucis. Excepté peut-être celles qui traversaient présentement son front.

Serge L'Écuyer était un peu plus grand que Tony, mais moins athlétique. Il avait été médecin de famille en Gaspésie pendant ses premières années de pratique. Puis, une nuit, il y a trois ans, il avait reçu un coup de fil de la police. Un meurtre avait été commis dans un petit village sur la côte qui faisait partie de son secteur. On lui avait demandé de venir faire les premières constatations, puis de faire l'autopsie pour déterminer l'heure approximative et la cause exacte du décès. Tout ça l'avait passionné. Bien sûr, pour son premier cas, la cause de la mort n'avait pas été trop ardue à trouver puisque la victime avait reçu une vingtaine de coups de couteau. En plus, on savait à quelle heure le drame était arrivé, car le mari avait lui-même contacté la police pour se dénoncer. Mais ça n'empêchait rien. Il avait trouvé l'expérience passionnante. De fil en aiguille il avait pris des cours de perfectionnement et avait, occasionnellement, continué d'agir à titre de médecin légiste pour les policiers de toute la Gaspésie. Il vivait maintenant à Rimouski parce que c'était vraiment le centre administratif de la péninsule. Mais il continuait à faire de la médecine familiale. Il ne voulait pas abandonner cette vie proche de la population qui lui permettait toujours d'avoir une autre perspective de la réalité, de garder les pieds sur terre, comme il le disait. Et puis, heureusement, il ne se commettait pas suffisamment de meurtres en Gaspésie, malgré l'immensité du territoire, pour occuper toutes les journées d'un légiste.

— On a réussi facilement à identifier les trois morts, dit L'Écuyer.

— Votre hypothèse de la drogue pourrait se confirmer. Ce sont trois petits durs qu'on a eu l'occasion de voir dans la région. Des besogneux, ajouta le capitaine Dufour, qui, comme tous les militaires et les policiers, adoptait facilement le style télégraphique. J'ai sorti leurs dossiers. Vous en ai préparé une copie, dit-il en remettant les fichiers à Tony et à Ève.

— De notre côté, nous avons eu un contact avec l'hélico de la Sûreté du Québec qui a survolé le secteur, informa Tony. Il y a effectivement plusieurs plants de marijuana dans les champs de maïs qui se trouvent autour de l'entrepôt. Impossible de dire si cette culture est là depuis plusieurs années ou non. On peut cependant envisager l'hypothèse que ce soit un nouveau groupe qui se lance dans la production et qui veut prendre sa place sur le marché. Ce qui expliquerait que les propriétaires du territoire aient fait connaître leur intention de vouloir garder leur monopole dans le secteur.

— Quelle est la cause officielle de la mort? demanda Ève au docteur.

— Évidemment la balle qui leur a été tirée dans la tête. Les dégâts sont considérables. Une bonne partie du visage a été emportée par le passage du projectile. Par ailleurs, on est en train de procéder à d'autres analyses avec les experts de la SQ, mais on croit que les parties génitales ont été coupées avant l'exécution.

— On leur aurait écrasé les doigts et ensuite, avant de les tuer, on leur a coupé le pénis. C'est quoi ça ? On est dans un film de série B où il faut qu'il y ait du sang partout ? demanda Tony. Ève a raison. Tout ça n'est pas dans les habitudes des gangs de la drogue.

— Pourtant, il n'y a rien de particulièrement spécial dans le dossier de ces jeunes, expliqua le capitaine Dufour. Le scénario habituel. Ils ont appartenu à des groupes de rues de Montréal. Quelques bagarres. Quelques vols de voitures. Ils ont probablement été recrutés par une autre organisation. Plusieurs séjours en prison. Bref, rien d'extraordinaire pour ce genre de clients. Il n'est même pas étonnant qu'ils se soient retrouvés ici car malgré tous nos efforts, les revendeurs de drogue prennent de plus en plus de place dans la région.

— Je vois aussi que les dossiers font référence à des condamnations alors qu'ils étaient encore adolescents, nota Ève. Est-ce qu'on sait de quoi il s'agit ?

— Non. Pas encore, précisa Dufour. J'attends le rapport complet de la SQ. Probablement toutefois que ça va dans le même sens que le reste de leur vie.

— Quand même, ajouta Ève. Le plus vieux n'avait que vingt-six ans. Si on enlève le temps qu'ils ont fait en prison, leur adolescence est une partie importante de leur vie, comme vous dites.

— On devrait recevoir ces informations sous peu, répéta-t-il pour clore la question.

— Cette façon de faire me laisse perplexe, continua Ève. La douleur a probablement été atroce, non ? reprit Ève en s'adressant au docteur.

— On est très proche de la torture. Ce genre d'intervention, faite évidemment à froid, est pratiquement intolérable. Il est fort possible que les jeunes aient perdu conscience. De toute façon, la perte de sang a aussi dû les affaiblir très rapidement. Les tueurs ont probablement été obligés de les maintenir à genoux pour pouvoir les exécuter.

— Ça me rappelle mes débuts, dit le capitaine

Dufour. Dans le temps, j'étais en service dans une région où il y avait une réserve indienne. Elle y est certainement encore.

— Quel rapport ? demanda Tony qui pouvait lui aussi être bref quand il le voulait.

— Voyez-vous, les Indiennes sont des femmes très belles quand elles sont très jeunes. Un jour, une jeune Indienne a été violée par quelques Blancs. Une histoire horrible. Évidemment, tous les Indiens de la réserve ont suivi l'enquête. Quelques semaines après l'événement, quatre jeunes que les policiers avaient identifiés ont été kidnappés. On n'a jamais pu trouver ceux qui ont fait ça. Toujours est-il que les jeunes ont été retrouvés, très peu de temps après leur enlèvement. Le lendemain pour être précis. Ils étaient seuls et nus dans la forêt, près du village. Ils avaient été castrés. Assez brutalement je dois dire. C'est une chance inouïe qu'ils ne soient pas morts. Quoique... bref, une leçon qui a servi d'exemple à tous ceux qui auraient voulu approcher une jeune Indienne. Ce qui ne s'est d'ailleurs pas reproduit durant les quelques années pendant lesquelles j'ai été en poste là-bas.

— Vous pensez qu'ici aussi on a voulu lancer un message clair et définitif à quelqu'un ? demanda Tony.

— C'est en tout cas quelque chose qu'il faut envisager.

— Docteur, demanda Ève, ça vous ennuierait si j'allais avec vous voir les corps ?

— Vous croyez pouvoir y trouver quelque chose ?

— Non... Pas vraiment, ajouta-t-elle. Je veux seulement tenter de comprendre comment tout ça s'est passé.

— C'est son petit côté « psy », se moqua Tony. Il faut toujours qu'elle comprenne pourquoi ci, pourquoi ça...

— Aucun problème pour moi, dit L'écuyer. On pourrait ensuite se donner rendez-vous au restaurant de l'Hôtel Saint-Louis. C'est un des meilleurs du coin.

Tony les regarda partir. Il connaissait ce regard dans les yeux de sa partenaire. Le bon docteur était soudain devenu une cible. Tant pis pour lui... ou tant mieux. Au fond, Ève était très bien.

***

Le travail à la buanderie de l'hôpital était monotone à souhait. Il permettait de ne pas penser. Une routine bienvenue. La réalité de ce qui s'était passé hier revenait. Tout le monde parlait des assassinats. On laissait entendre que les meurtres avaient été brutaux. La radio ne parlait aussi que de ça. Alex était toujours dans sa bulle. Rien ne pouvait l'atteindre pour le moment. Il fallait que tout le monde sache qu'il y a des choses qu'on ne doit pas faire. Si on s'y risque, de gros ennuis peuvent nous revenir en pleine gueule. Si la violence était la seule solution, alors il fallait l'utiliser. C'est ce qui avait été convenu.

Il y aurait une rencontre dans quelques jours ou quelques heures. Pour faire le point et préparer la suite des événements. D'ici là, peut-être que les choses évolueraient dans le bon sens. Alex était responsable de tout ça. Comme Alex avait d'ailleurs été la bougie d'allumage, le cerveau de toute l'opération. Depuis le choix des victimes jusqu'au traitement qu'on leur réservait. Il fallait vivre avec ce fardeau. Et c'est ce qu'Alex faisait. Sans aucun remords. L'esprit en paix et étonnamment calme dans les circonstances. La prochaine fois on verrait... car il y aurait une prochaine fois. C'était inévitable... et de toute façon déjà prévu...

Chapitre 3

L a maison était cossue. Un peu prétentieuse peut-être, genre nouveau riche, mais intéressante quand même. Une maison comme on en trouvait de plus en plus dans cette banlieue riche de Montréal qui longeait le fleuve. La seule différence avec ses voisines était probablement la présence de toutes ces petites caméras pour en surveiller les accès. Devant le garage trônaient deux immenses véhicules utilitaires qui semblaient garder les petites voitures sport importées d'Europe. Derrière, attachés au quai, on pouvait voir un hydravion et deux embarcations de type cigarette boat qui transpiraient le luxe et la puissance.

Si la maison ne jurait pas dans ce quartier riche, les propriétaires et les visiteurs occasionnels pouvaient, eux, parfois sembler incongrus. Ce matin, toutefois, on préparait une fête et tout était on ne peut plus traditionnel. On célébrait aujourd'hui les cinq ans du plus jeune de la famille. Rien n'avait été oublié : le traiteur avait préparé en abondance tout ce que les enfants adorent, toutes les activités possibles pour ce genre de fête avaient été planifiées et on complétait l'installation des équipements nécessaires. Ce serait un très bel anniversaire. Partout, on entendrait la musique, les rires et les cris de joie.

Mais pour le moment, dans le bureau du propriétaire des lieux, une vive discussion téléphonique avait lieu. Pop n'était pas reconnu pour sa patience. Or, c'était déjà la seconde fois qu'on le dérangeait pendant la journée d'anniversaire de son fils. Il savait qu'il n'avait pas le choix. Il devait répondre. Sur son visage, taillé au couteau, on pouvait lire la plupart des coups durs que la vie lui avait réservés. Ses cheveux étaient taillés très courts, ce qui n'adoucissait en rien ses traits. Mais c'est surtout sa voix qui en imposait. Elle était grave et profonde. Jamais Pop n'avait besoin d'élever le ton. Il parlait peu. Il préférait les courtes phrases aux longues, les mots aux phrases et les grognements aux mots. Quand c'était absolument nécessaire, ses yeux gris acier complétaient merveilleusement le message qu'il voulait transmettre à ses interlocuteurs.

— Écoute, Big, je veux savoir ce qui s'est passé. On perdra pas trois gars sans réagir. Alors tu vas d'abord en trouver cinq autres qui vont aller là-bas pour continuer le travail. Ensuite, tu te rends à Rimouski, tu contactes notre poteau, tu trouves qui a fait ça... et tu m'appelles. Est-ce que c'est clair?

Il y eut une pause pendant que son correspondant réagissait. Puis Pop reprit:

— Raison de plus pour faire vite s'ils ont été torturés. Je veux des réponses. Tu comprends... Et le plus tôt sera le mieux.

Une autre pause puis:

— Je sais pas quelle partie de ma phrase te fait penser que c'est pas un ordre. Alors oui, tu pars aujourd'hui. Tout de suite.

Et il raccrocha.

Il y avait bien eu quelques escarmouches dans la région de Montréal dernièrement, mais rien qui laissait présager qu'on s'en prendrait à son marché. Et puis tout ici était rapidement revenu à la normale. Il y avait eu quelques discussions... disons « viriles » mais tout le monde avait compris. En tout cas, tout le monde semblait avoir compris.

Et pourquoi avait-on attaqué aussi loin? Rimouski est quand même à plus de cinq cents kilomètres de Montréal. Sans compter que c'était un petit marché. En pleine

expansion mais petit. Et tuer trois gars pour cette merde...
Pop était songeur en sortant de son bureau mais il retourna
aider aux préparatifs de la fête de son fils comme si de rien
n'était. Seule sa femme avait remarqué en le voyant que
quelqu'un quelque part aurait bientôt de gros ennuis.

***

Tony avait continué à discuter avec le capitaine.
En après-midi, on avait convenu de retourner faire le
tour des maisons près de l'entrepôt. Il voulait s'assurer
que personne n'avait rien vu de spécial la veille. De
plus, Tony avait suggéré d'envoyer plusieurs policiers
avec des chiens, si possible, pour inspecter les environs
du lieu du crime. Il était peu probable que quelque
chose leur ait échappé, mais il fallait toujours examiner
deux fois. Ne rien laisser au hasard, c'était sa devise.

Et puis il y avait ces dossiers qui ne disaient pas
tout.

— Dites-moi, capitaine, si nos trois victimes travaillaient dans le coin, peut-être savez-vous aussi qui
étaient les employeurs ?

— Si vous parlez de la filière de Montréal, je n'en
sais rien. Mais si vous voulez savoir où est leur point de
chute ici, pas de problème. Il s'agit du propriétaire d'un
petit bar de danseuses. Un certain Marc Dumas, aussi
connu sous le nom, allez savoir pourquoi, de Trou-de-
Beigne. Il relève de quelqu'un d'autre, c'est certain.
Nous croyons quand même qu'il est le responsable de la
drogue dans la région. On tente de monter un dossier,
mais il est rusé. Il fait toujours faire ses commissions par
d'autres. Et dans ce milieu, tout le monde est muet
quand ils ont affaire à la police. Ils ont bien plus peur de
leurs employeurs que de nous.

— Et d'après vos indices, on parle de la pègre ou
des motards ?

— Je mettrais pas ma main au feu, mais je dirais
les motards. Quelque chose dans la façon d'agir, dans la
façon de travailler.

Le téléphone de Tony se mit à sonner. Un air d'opérette. Quelque chose de pas commun du tout qui, le moins qu'on puisse dire, laissa le capitaine fort surpris.

— C'est un air que j'aime beaucoup, dit Tony pour se justifier. Excusez-moi quelques instants.

Il se dirigea vers la fenêtre du bureau pour s'isoler.

— Palomino à l'appareil.

En entendant la voix au bout du fil, Tony jeta un regard vers le capitaine Dufour pour s'assurer qu'il ne pouvait l'entendre.

— Oui mamma, chuchota-t-il. Tu sais que tu ne dois pas me téléphoner tout le temps… Non, je n'ai pas eu le temps de parler à Lise… Non mamma, pas Lisa, son nom c'est Lise… Écoute, je suis en conférence. Je te promets que je lui téléphone aussitôt que j'ai une minute… Oui, j'ai pris mon parapluie… Je sais bien qu'il va pleuvoir, merde… Non, c'est pas à toi que je dis ça… Bon ! Je te rappelle…

Il raccrocha. Un peu plus sèchement que d'habitude, peut-être. « Faut vraiment que je passe un coup de fil à Lise, se dit-il, sans quoi elle va continuer à me harceler. » Il fallait avouer que la mère Palomino, quand elle avait une idée dans la tête, n'abdiquait pas facilement. Elle ne faisait jamais dans la subtilité et la délicatesse. Un trait que Tony avait hérité d'elle.

L'inspecteur se tourna vers le capitaine.

— Et si on allait dire un mot à ce monsieur Dumas avant le lunch. Il pourrait peut-être nous expliquer ce que faisaient ses hommes près de l'entrepôt. Ça pourrait être intéressant.

***

« Y a pas à dire, une morgue c'est un endroit toujours désagréable, se dit Ève Saint-Jean. Je veux bien qu'on n'attache pas beaucoup d'importance à la déco, mais quand même, pourquoi éternellement ce style néon éclatant et stainless. C'est pas ce qu'il y a de mieux pour le teint. Surtout quand on est rousse… »

Depuis qu'ils étaient arrivés, le docteur l'avait abreuvée d'informations techniques sur différents aspects de ce métier qui, visiblement, le passionnait. La technologie avait fait des pas de géant depuis quelques années. Il suffisait de minuscules détails pour élaborer des hypothèses qui se confirmaient généralement. Dans le cas qui les occupait, le travail progressait, même s'il restait énormément à faire. L'état des cadavres était pitoyable, selon Ève, et passionnant, selon L'Écuyer.

Les vêtements et les objets personnels des victimes étaient étalés sur un comptoir à l'autre extrémité de la vaste pièce. Ève s'en approcha.

— Est-ce que vous avez commencé à trouver des bribes de réponses à partir de ça? demanda-t-elle en pointant les vêtements.

— Peu de choses pour le moment. Il y a beaucoup de terre et de boue sur les souliers et le bas des pantalons, ce qui n'est pas étonnant. On procède aux analyses comparatives pour voir si on peut en tirer des informations nouvelles. J'ai toutefois des doutes. Dans ce secteur, les terres sont assez semblables d'un coin à l'autre. Et comme vos services ont trouvé des cultures de mari dans les environs, on aura probablement une confirmtion qu'ils se sont promenés dans les champs. Ce qui n'est, malgré tout, pas une découverte capitale. Pour le reste, il n'y a pas beaucoup d'intérêt. Les vêtements sont très ordinaires, du genre qu'on peut se procurer un peu partout, pas juste dans la région, mais partout dans le monde je pense. Il n'y a pas non plus de style particulier, si ce n'est que les pantalons sont de plusieurs tailles trop grands pour eux. Rien d'exceptionnel non plus étant donné que la plupart des jeunes portent ce genre de truc. Je comprends d'ailleurs pas ce qu'il peut y avoir de confortable à porter des pantalons qui descendent toujours sous les fesses et encore moins ce que les filles peuvent y trouver de beau... C'est ça le gouffre des générations...

— Ils n'avaient rien dans les poches qui pourrait éclairer un peu l'affaire? le coupa Ève.

— Vous pouvez jeter un coup d'œil. Tout est là-bas, dit-il en pointant trois petites boîtes, une pour chacune des victimes.

La policière s'approcha et commença à déballer le tout. Rien de passionnant là non plus. Couteaux à cran d'arrêt, cigarettes, un peu de monnaie, quelques billets, une clé de voiture, d'autres clés (possiblement celles d'un logement), un carton d'allumettes d'un restaurant de Montréal, un autre d'un bar de Rimouski. Et les incontournables téléphones cellulaires, dont on vérifiait les appels sortants et entrants. Rien d'exceptionnel... sauf qu'il n'y avait aucun papier d'identité. Bizarre...

— On croit, précisa le docteur en lisant dans ses pensées, que les tueurs leur ont fait les poches.

— Mais pourquoi les pièces d'identité? Ils devaient savoir qu'on découvrirait rapidement de qui il s'agissait. Il n'aura pas fallu vingt-quatre heures pour les identifier et sortir leurs dossiers. Quel est l'intérêt de prendre leurs papiers? Et ils n'ont touché à rien d'autre?

Ève Saint-Jean réfléchissait. Elle ne parvenait pas à comprendre les gestes posés par les tueurs. Depuis quand torturait-on des petits durs qui n'ont aucun pouvoir réel? Pour leur faire dire quoi? Pourquoi voler les papiers d'identité? Il existe des dizaines de façon d'identifier des victimes. Ça ne menait à rien. Pourquoi les doigts écrasés? Pourquoi les parties génitales coupées? Pourquoi cette exécution brutale? Rien ne cadrait avec le genre de règlement de comptes que les gangs ont l'habitude de faire pour étendre ou garder un territoire.

Elle regardait les éléments sur la table, tentant de se faire une idée. De toute évidence, il s'agissait de jeunes « normaux ». Enfin, normaux pour ce genre de milieu. Pas des anges, ça c'était certain. S'étaient-ils tout simplement retrouvés au mauvais endroit au mauvais moment?

Son regard se promenait au hasard des objets qui jonchaient la table. Soudain, elle prit les clés de voiture.

Au fait, comment s'étaient-ils rendus là-bas ? Avaient-ils été amenés par les tueurs ? On ne pouvait pas dire que l'entrepôt était un endroit très central. On n'y passait pas par hasard. C'était au contraire cet isolement qui en avait fait un site idéal pour le genre de discussion que les tueurs voulaient avoir avec les victimes. Alors quoi ? Ils avaient été enlevés par les tueurs et conduits directement au lieu de torture ? Avaient-ils plutôt été interceptés pendant qu'ils vérifiaient la mari ? Dans ce cas, à quel endroit était resté leur véhicule ? S'ils avaient été emmenés par les tueurs, on pourrait peut-être trouver des témoins. Est-ce que ça pouvait ressembler à un début de piste ?

* * *

Le bar de Marc Dumas annonçait fièrement que tous les mercredis il y avait concours de danseuses amateurs, ce qui fit grimacer le détective Palomino. Pourquoi, bordel, des filles voulaient-elles danser nues, sans être payées, dans des concours et des endroits aussi miteux que celui-ci ? Pas pour faire une carrière internationale, espérait-il. Et pourquoi, question encore plus importante, ce genre de spectacle attirait-il autant de monde ? C'était incompréhensible, se disait Tony en pénétrant dans le bar, évidemment désert à cette heure de la journée. L'éclairage, un peu moins tamisé que d'habitude, permettait au personnel d'entretien de faire son travail. Il lui fallut néanmoins quelques secondes pour que ses yeux s'habituent à l'obscurité. Le capitaine Dufour se dirigeait vers une serveuse qui faisait l'inventaire au comptoir. La jeune femme, blonde évidemment, portait un chandail au décolleté plongeant qui cachait bien peu sa poitrine impressionnante.

— Nous aimerions parler à monsieur Dumas.

— Il est occupé, dit-elle sans lever les yeux de ses notes.

— Dites-lui que la police désire lui parler de personnes qui travaillent pour lui, ajouta Dufour.

— Toutes nos danseuses sont majeures. Je peux vous montrer leurs papiers… continua-t-elle toujours sans les regarder.

— On n'est pas là pour les danseuses et on veut parler à Dumas, coupa Tony dont la patience légendaire était déjà à bout.

La serveuse leva enfin les yeux. Le personnage qui venait de parler lui en mettait plein la vue. Pas le genre de client de l'endroit avec son complet-cravate super branché. Pour la première fois, elle montra un certain intérêt et se concentra exclusivement sur Palomino.

— Il est occupé, mais je peux lui dire que vous êtes là, dit-elle d'une voix soudainement beaucoup plus chaleureuse. Qui dois-je annoncer ? demanda-t-elle en regardant Tony directement dans les yeux de son regard le plus incendiaire. Du genre de celui qui invite à autre chose qu'à la comptabilité.

— Sergent-détective Palomino et le capitaine Dufour, répondit ce dernier pour rappeler sa présence.

— Je vais voir, dit la serveuse qui prit le téléphone sans quitter Tony des yeux. « Marc, il y a du monde pour toi… La police… Bien ! »

Elle raccrocha en les invitant à la suivre vers une porte dissimulée au fond du bar qu'elle ouvrit pour les laisser entrer. Au passage de Palomino, par accident selon toute vraisemblance, sa poitrine se trouva à effleurer délicatement le bras du détective. Tony, qui n'était jamais insensible à ce genre d'argument, lui sourit pour la première fois.

Dans la petite pièce sans fenêtre, sale et encombrée, un type énorme était assis devant des masses de papiers. Le bureau sur lequel il travaillait était tellement en désordre qu'on ne le voyait pas. Il fallait deviner qu'il y avait quelque chose sous les piles de documents. Sur les murs, on avait installé des photos et des affiches, pas très fraîches, de filles aux courbes généreuses. Le tout donnait une impression de fouillis et de poussière que Palomino détestait. Dumas ne devait pas bouger souvent.

En tout cas, certainement pas pour faire du ménage ou de l'exercice.

— Asseyez-vous, messieurs, dit Dumas

Il pointait des fauteuils qui dataient assurément de l'époque antédiluvienne. Ça impliquait que le propriétaire des lieux n'avait aucun goût ou encore qu'il était partisan de la récupération totale et de l'accord de Kyoto. Et dans les deux cas, Tony s'en foutait. En fait, à regarder le polo vert lime à faire grincer des dents qui couvrait son énorme corps comme une toile de garage, la première hypothèse était certainement la bonne.

— Vous connaissez ces personnes ? demanda Dufour en montrant les photos des victimes provenant des dossiers de police.

Dumas jeta un coup d'œil.

— Ça me dit quelque chose. Peut-être des clients. Vous savez, je peux pas connaître tous ceux qui viennent ici, déclara-t-il.

— Et ça, ça vous rafraîchit la mémoire ? demanda Tony en lui mettant sous le nez les photos des cadavres trouvés la nuit précédente. Et dites-vous que le photographe a réussi à améliorer les choses.

On voyait néanmoins très bien les trous qui remplaçaient les visages, de même que les doigts, souvent dans des angles inquiétants, et la boucherie sur les organes génitaux. Rien ici ne rappelait les photos presque souriantes des dossiers judiciaires.

— Je peux vous assurer qu'il s'agit des mêmes personnes, ajouta le policier. Il y a des occasions ou les « avant /après » n'avantagent pas. Non ?

Dumas avait blêmi. Pendant une seconde, son gros visage avait tremblé, comme une gélatine qui soudain voyait arriver la cuillère. Il en avait vu d'autres, mais cette fois, il était évident qu'il était sous le choc.

— Oui, parfois la réalité est difficile à regarder, continua Palomino. Alors, vous les connaissez ou non ?

— Je crois bien que je les avais engagés pour faire quelques travaux dans le bar. Mais je ne les connaissais pas. Je ne sais pas ce qu'ils faisaient en dehors d'ici. Comment est-ce arrivé? dit-il, incapable de détourner les yeux des photos.

— On enquête là-dessus... On aimerait bien savoir quel genre de travail ils faisaient pour vous, ces trois types. Tony fit une courte pause puis ajouta en changeant de ton : « Et avant de dire n'importe quoi, on sait très bien qu'il y a de la mari qui pousse dans les champs du coin et que ceux qui ont arrangé tes gars s'intéressent à ce genre de culture. On sait aussi que t'es impliqué jusqu'à ton gros cou dans ce trafic. Alors qu'est-ce qu'ils faisaient pour toi ? »

— Je vous l'ai dit, ils ont fait quelques petits travaux de rénovation. C'est tout. J'en sais pas plus. J'suis pas au courant de cette affaire de drogue.

— Alors tu ne sais vraiment pas ce qu'ils pouvaient faire du côté du vieil entrepôt de la compagnie de téléphone?

Dumas tremblait. Il fit seulement signe de la tête pour indiquer qu'il n'en avait aucune idée.

— Eh bien, on va revenir régulièrement te voir, termina Palomino. Peut-être que la mémoire va te revenir? On te lâchera pas. On ne sait jamais. Tu vois, j'ai l'impression que le travail qui a été commencé la nuit dernière n'est pas encore terminé. Et qui peut savoir le nom du prochain sur la liste de ceux qui ont fait ça? conclut-il en pointant les photos des cadavres. Alors s'ils viennent ici, on le saura. Mais on aura peut-être pas le temps d'intervenir avant qu'ils aient fini leur boulot. Et avec toi, ils risquent d'avoir du plaisir. Pense à tout ça...

Palomino avait lancé toutes sortes de perches, comme autant de lignes pour tenter de voir comment réagirait le client. Il fallait maintenant le laisser mariner dans ses pensées et voir ce qui arriverait. Après avoir ramassé leurs photos, ils sortirent sans se retourner, laissant derrière eux un propriétaire de bar effrayé. Ni Palomino ni Dufour n'entendirent Dumas souffler : « Foutue journée de merde. »

***

Big portait bien son nom. C'était véritablement un colosse. Deux mètres et largement plus de cent kilos devenaient des avantages pour un type dans sa position. Il avait des bras énormes et on ne pouvait pas dire non plus qu'il avait la cuisse légère. Il passait rarement inaperçu quand il entrait dans une pièce.

Rares étaient ceux qui connaissaient son véritable nom. Il est vrai que Marc Tardif ne sonne pas aussi bien quand il s'agit de faire peur aux petits mafieux. Et il avait une sale réputation dans le milieu. Réputation totalement méritée. On disait qu'il valait mieux ne jamais avoir affaire à lui et que si ça arrivait, il valait mieux lui donner ce qu'il demandait. Sans faire de vagues. Plusieurs personnes, pourtant des durs, l'avaient appris à leurs dépens. Beaucoup d'entre eux avaient été simplement éliminés. Leurs corps jamais retrouvés. On disait que Big affectionnait offrir des souliers en ciment à ses « amis ». Que plusieurs personnes soient désormais au fond du fleuve ou d'un lac quelconque pour avoir affronté Big était plus qu'une simple hypothèse. Il était impitoyable pour ses ennemis et les ennemis de ses patrons.

Pourtant, si ses bras et sa force avaient été une porte d'entrée, il avait réussi à grimper les échelons grâce à une vivacité d'esprit et une intelligence peu commune. Il s'intéressait à tout. Il avait compris comment structurer l'organisation. Comment augmenter les profits et diminuer les risques. Comment utiliser les organigrammes de compagnies fictives pour blanchir l'argent sans que les fiscalistes ne puissent remonter jusqu'à la tête. C'est là que résidait la principale valeur de Big. Là et dans sa loyauté.

Alors quand il y avait un coup fourré, comme celui de Rimouski, c'est le seul en qui Pop avait suffisamment confiance pour faire le ménage. Big comprenait tout ça, mais n'était pas content pour autant de se trouver dans ce qu'il considérait comme un trou perdu. Pour lui, des notions comme la beauté majestueuse du fleuve étaient de celles qui le laissaient complètement froid. Tant et aussi longtemps que ledit fleuve n'avait pas une utilité dans son boulot.

Immédiatement après sa conversation du matin, il avait fait préparer l'hélico de « l'entreprise », ce qui lui avait permis d'arriver relativement tôt à Rimouski. Une voiture l'attendait à l'aéroport. Un homme de confiance, à qui il avait téléphoné pendant le vol, guettait son arrivée. Big préférait toujours avoir ses propres contacts dans toutes les régions. Michel et lui se connaissaient depuis des années. Même si Michel s'était retiré « officiellement » du milieu, Big savait qu'il pouvait le contacter en tout temps pour un coup de main.

— Alors, comment ça va Marc ? demanda Michel qui était l'un des rares à pouvoir l'appeler par son vrai nom.

— On vieillit Michel. On vieillit. J'ai plus envie de ce genre de merde. J'essaie de convaincre Pop de me laisser prendre ma retraite. J'ai le goût de prendre un peu de vacances. Des vacances prolongées.

— Je l'ai fait. C'est extra, dit Michel… J'imagine que t'es ici pour l'histoire des trois gars ? ajouta-t-il après quelques secondes de silence.

— Oui. Il faut remonter la piste. Savoir qui a fait ça et pourquoi. Ça sent pas bon. Pop peut pas laisser trois de ses hommes se faire tuer, surtout pas de la façon dont on dit que ça s'est passé. T'as pas une idée de ceux qui peuvent être derrière cette boucherie ?

— Aucune. Tout a l'air tranquille dans le coin… On se dirige directement vers le bar de Trou-de-Beigne ? J'imagine que c'est là où tu voulais te rendre en premier ? Peut-être qu'il pourra te dire quelque chose. C'était ses gars, après tout.

Comme la voiture se garait dans le stationnement du bar, Michel montra à son ami les deux personnes qui en sortaient. L'une d'entre elles était le capitaine Dufour de la Sûreté municipale de Rimouski. Le fait que les policiers aient déjà rendu visite à Trou-de-Beigne montrait bien que la police savait qu'il était impliqué dans le trafic de la drogue dans la région. Et si le lien était si évident, il faudrait peut-être éventuellement le couper, pensa Big.

À leur tour, Michel et Big entrèrent dans le bar et se dirigèrent directement au comptoir.

— On veut voir Dumas, dit Michel à la serveuse toujours occupée à ses inventaires.

— Il veut voir personne. Il est occupé, répondit-elle toujours sans lever la tête.

Big s'avança doucement et mit son énorme index sous le menton de la serveuse qu'il releva délicatement mais irrésistiblement.

— Dis-moi quel mot tu comprends pas dans ce qu'on vient de te dire et je vais te l'expliquer, lui dit-il en la fixant droit dans les yeux.

— C'est la porte au fond, dit-elle, effrayée par la froideur qu'elle voyait dans ces yeux. Elle se recula, entourant sa poitrine de ses bras, soudain glacée jusqu'aux os.

Big s'avança vers la porte et entra sans frapper. Dumas, surpris, leva la tête, prêt à faire une colère jusqu'à ce qu'il reconnaisse son visiteur.

— Salut Big. Content de te voir. Prends une chaise, lui dit-il en lui montrant les fauteuils. Tu veux un verre?

— Lève-toi, se contenta-t-il de dire.

Aussitôt, comme mû par un ressort, Dumas céda sa place que prit naturellement Big. Il regarda les papiers qui parsemaient le bureau, jetant un coup d'œil sur quelques documents.

— Tes affaires marchent au ralenti. Pourtant t'as un beau secteur à développer. Est-ce que tu aurais perdu la main? jeta Big sans lever les yeux.

Dumas dansait d'un pied sur l'autre, ce qui aurait certainement pu être drôle dans une autre situation. Trou-de-Beigne fit un clin d'œil à Michel dans l'espoir d'y trouver un peu de réconfort. Il n'y trouva qu'un mur d'incompréhension.

— On regardera tout ça plus tard, ajouta Big en s'appuyant contre le dossier. Dis-moi maintenant ce qui s'est passé avec tes gars, lança-t-il en le regardant directement dans ses yeux de morue, ce qui lui rappela encore le fleuve et aussi qu'il aurait souhaité ne pas être ici.

— J'en sais rien. Je te jure. Tout ce que je sais, c'est qu'hier soir, comme d'habitude, ils sont allés faire la tournée des récoltes qui, en passant, seront prêtes très bientôt. Pour le reste, je l'ai entendu aux nouvelles du matin. Mais les policiers m'ont montré des photos tout à l'heure. Ils étaient deux qui sont passés juste avant que tu arrives. Tu sais, Big, que je suis pas trop sensible. Mais là, c'est pas ordinaire. J'ai aucune idée de ce qui a pu se passer.

Big se leva lentement et se dirigea directement vers Marc Dumas jusqu'à ce que son ventre musclé touche la mer de graisse qu'était l'estomac de l'autre.

— C'est ton territoire. Tu dois rendre des comptes. Alors tu vas passer le mot. À tous ceux que tu connais. Je veux avoir des renseignements fiables. Le plus vite possible. Contacte Michel aussitôt que tu as du nouveau. Il saura où me trouver… Et cinq gars vont arriver d'ici demain pour continuer le travail. Occupe-toi-z-en immédiatement quand ils arriveront ici.

Sans un geste superflu, il tourna les talons et se dirigea vers la porte, suivi de Michel. Juste avant de partir, il se retourna.

— Et prépare-moi tes livres que je jette un coup d'œil. Je les prendrai la prochaine fois, ajouta-t-il avant de sortir.

Ni Big ni Michel n'entendirent Dumas souffler : « Non mais quelle foutue journée de merde. »

Chapitre 4

L e repas avait été agréable, les mets succulents et les discussions intéressantes. Mais, tout compte fait, l'affaire n'avait pas avancé d'un iota. En fait, le lunch avait plutôt été un intermède. La salle à manger du Saint-Louis est effectivement un endroit qui témoigne du passé prestigieux de cet hôtel. Tout est feutré et calme. Un charme britannique auquel on ne s'attend pas dans ce coin du monde. Voilà peut-être pourquoi, comme envoûté par le décor et le service, tout le monde en avait profité pour ne pas penser aux meurtres et faire une pause d'une heure qui était fort bienvenue.

Le capitaine Dufour avait expliqué qu'il serait à la retraite dans deux ans et qu'il songeait à se procurer une petite maison près du fleuve, probablement dans le village du Bic, où il entendait passer son temps à se promener avec son chien et à jouer au golf. Du moins, pour les quelques semaines pendant lesquelles il est possible de pratiquer ce sport dans le Bas-du-Fleuve.

Tony était convaincu que le capitaine n'endurerait pas cette vie d'oisiveté plus d'un an. Il faut dire que l'hiver est très long dans la région. Alors quand le capitaine aurait marché quelques centaines de kilomètres avec son foutu chien, il rêverait de revenir au boulot. En tout cas, lui il en rêverait. Et bien avant que l'année ne soit écoulée.

Serge L'Écuyer et Ève s'étaient trouvé un autre point commun, le jazz. Il l'avait alors invitée à aller écouter un petit groupe qui se produisait au Bar-O. Ève avait bien joué son rôle. Elle s'était montrée surprise et avait accepté, avec juste assez de candeur pour qu'un bon gars comme le docteur n'y voit strictement rien d'autre qu'un pur hasard... Finalement, de ce côté au moins, l'étau se resserrait.

Palomino s'était montré très réservé pendant tout le repas. Il souriait parfois. Disait quelques mots. Mais rien qui ressemblait, même de loin, à l'exubérance qu'affichent généralement les Italiens. Cette série de meurtres continuait à occuper ses pensées. Marc Dumas, qu'ils avaient rencontrés juste avant le dîner, avait eu l'air aussi désemparé qu'eux. De toute évidence, il ignorait ce qui s'était passé. Tony était cependant certain que ses patrons de Montréal ne resteraient pas à se croiser les bras. Ils voudraient aussi savoir ce qui était arrivé à leurs hommes. Et eux non plus ne faisaient pas dans la dentelle. Pas plus que les meurtriers. Depuis le temps qu'il trimait sur les dossiers des gangs, Palomino le savait très bien.

Il se souvenait encore parfaitement de la première affaire sur laquelle il avait travaillé. Au début des années 90, la guerre des gangs et de la drogue faisait rage à Montréal. Et tous les coups semblaient permis pour anéantir l'autre groupe. On l'avait mis sur l'affaire parce qu'on craignait que la mafia ne s'en mêle. Encore une fois, ses racines italiennes revenaient à la surface. Il avait beau leur expliquer qu'il n'avait rien à voir avec la pègre, que sa famille n'avait rien à voir avec les familles de la mafia, rien n'y faisait. Certains préjugés étaient trop profondément ancrés. Il avait été bien content par ailleurs de travailler sur cette affaire, quelles que soient les raisons pour lesquelles on l'y avait assigné.

Pendant une certaine période, se souvenait-il, chaque semaine on trouvait des cadavres. La guerre était sans merci entre les groupes. Pour un meurtre d'un côté, on en abattait deux en représailles. Les principaux antagonistes avaient reçu des appuis des États-Unis et la spirale de violence avait encore monté d'un cran. La population regardait ces règlements de comptes avec un mélange de fascination et d'horreur. Mais, depuis longtemps on savait que cette violence s'exerçait seulement entre ceux qui étaient impliqués, ce qui limitait les dégâts. Chaque faction semblait en effet respecter cette loi interne et non écrite. Plusieurs des observateurs étaient même assez cyniques pour espérer qu'ils s'entretueraient tous mutuellement et qu'ensuite on aurait la sainte paix. La population suivait malgré tout assidûment chacun des épisodes comme s'il s'agissait d'un feuilleton télévisé. Tout était relaté dans la presse. Les journalistes en savaient même parfois plus que les policiers.

Comme il fallait s'y attendre, un jour, tout a commencé à chavirer. D'abord, un journaliste qui avait touché de trop près à certaines personnes dans ses articles s'était fait tirer dessus dans le stationnement de son journal. En fait, il n'était pas mort mais de graves blessures l'avait obligé à passer plusieurs semaines à l'hôpital. D'autres reporters avaient reçu de nombreuses menaces et quelques avertissements plus concrets qui les avaient aussi contraints à visiter les salles d'urgence.

L'opinion publique a complètement basculé le jour où une bombe, installée dans une auto et destinée à un mouchard, avait explosé trop tôt, tuant des jeunes qui revenaient de l'école. L'horreur avait désormais des noms et des visages, ceux des jeunes innocents qui avaient eu pour seul tort de passer près d'une voiture en rentrant à la maison. À partir de ce moment, sous l'énorme pression de la population, tous les moyens avaient été mis en œuvre pour faire cesser ces représailles et mettre en prison toutes les personnes qui étaient impliquées dans cette guerre. De près ou de loin. L'enquête s'était rapidement soldée par l'arrestation massive de centaines de personnes dont plusieurs têtes dirigeantes des groupes de motards qui avaient dû subir un procès particulièrement « suivi » par la presse.

Le calme était finalement revenu. Il aurait toutefois fallu être très naïf pour croire que le trafic de la drogue avait cessé. Mais ceux qui avaient pris la place avaient été assez sages pour faire des trêves et se « partager » le territoire, évitant ainsi non seulement une mauvaise presse, mais surtout la reprise d'une guerre dont personne ne pouvait sortir gagnant. L'image des policiers avait aussi pris du galon. On croyait qu'ils avaient réussi à faire un ménage devenu indispensable dans un milieu qui avait perdu tout son capital de sympathie auprès du public.

Tony, assis tranquillement à écouter distraitement les histoires que s'échangeaient ses voisins de table, songeait à tout cela en souhaitant pouvoir empêcher, si la chose était possible, la reprise du tourbillon de violence que représentait une guerre pour le contrôle de la drogue.

— Youhou, monsieur DeNiro. T'es en voyage dans la campagne sicilienne ? demanda Ève Saint-Jean.

Palomino, soudain tiré de ses pensées, lui fit un petit sourire, l'air de s'excuser.

— Pardonnez-moi, dit-il. Je pensais à cette affaire et à la violence qui accompagne toujours le crime organisé. Quelle plaie pour toute société. Et pourtant, il semble impossible d'y échapper. Il y a trop d'argent en jeu.

— Tu crois que c'est le retour des années 90 ? demanda Ève qui comprenait bien ce qu'il voulait dire.

— Je n'en suis pas certain. Mais quand on regarde tout ça, il reste que trois gars ont été tués de façon abominable. Tu penses vraiment que leurs chefs vont regarder le train passer sans réagir ? Je suis sûr que non. Il faut que notre enquête avance plus vite que la leur. Sans ça, tout peut recommencer.

— Je suis bien d'accord avec vous, sergent, ajouta le capitaine de police. Raison de plus pour retourner sur le terrain. J'ai des hommes qui explorent tout le secteur. On pourrait aller voir s'ils ont découvert quelque chose.

— D'autant plus qu'à la morgue, ce matin, dit Ève, je me suis demandée comment ils se sont rendus là-bas nos trois lascars. Il y avait des clés de voiture dans les affaires qu'on a trouvées, mais à ma connaissance on n'a pas encore récupéré le véhicule. On pourrait y trouver des choses intéressantes. Et apprendre s'ils sont venus ou non avec leur voiture. Peut-être que quelqu'un les a vus monter avec les tueurs. On pourra aussi explorer de ce côté.

— Alors voici ce que je suggère, dit Palomino. Toi, Ève, tu mets de la pression sur les gars de Montréal pour qu'ils sortent les fichus dossiers sur la jeunesse de nos trois bonhommes. Les dossiers complets cette fois. Et arrange-toi aussi pour avoir les noms et adresses de nos indics dans le coin. On pourra leur rendre visite. Vous, docteur, continuez de tenter de faire parler les macchabées. On ne sait jamais, ils ont peut-être quelque chose à dire qui nous a échappé jusqu'à maintenant. Pendant ce temps, j'irai fouiller près de l'entrepôt avec le capitaine. Nous mettrons aussi les gars à la recherche d'une voiture qui pourrait se trouver dans les environs. Ève, aussitôt que tu as terminé, tu viens nous rejoindre. J'aimerais avoir une autre discussion avec les Comtois. Bordel, leur champ est rempli de marijuana et ils n'en sauraient rien? Je pense qu'il faut éclaircir quelques points.

***

C'est en route vers l'entrepôt que l'orage éclata. Le ciel était zébré d'éclairs et le tonnerre ne cessait de rouler. Assis côté passager dans la voiture de service du capitaine Dufour, Tony venait de se souvenir que son parapluie était resté dans la voiture utilisée par Ève Saint-Jean.

— Quand ça tombe comme ça, la pluie ne dure pas longtemps. Du moins en général, expliqua Dufour en voyant le regard catastrophé de Palomino.

Rien n'empêche que pour le moment Tony n'avait ni parapluie, ni imper et que ses souliers et son complet acceptaient mal la pluie et la boue. En fait, pour le moment il ne comprenait même pas comment le capitaine faisait pour voir la route. La pluie était si intense qu'il avait du mal à voir les essuie-glaces qui s'acharnaient à enlever les trombes d'eau qui tombaient. Penser voir la route relevait du fantasme.

— J'ai ce qu'il vous faut dans le coffre. Un imperméable de la police et des bottes. Peut-être pas la dernière mode, mais franchement efficaces, ajouta Dufour en souriant.

Il avait compris depuis le début que l'apparence était fondamentale dans la vie de Palomino. Ce qui n'en faisait pas un mauvais flic. Un peu étrange dans cette région du Québec, c'est tout. Il était bien content que lui et sa partenaire aient justement été dans le coin ces jours-ci. Ils connaissaient leur boulot et avaient une expérience dans ce genre de crime. Plus en tout cas que tous les membres de son service. Et puis, à deux ans de la retraite, il préférait nettement n'être pas le seul responsable de cette enquête. Il avait réussi à faire une carrière sans tache et il souhaitait arriver à la fin avec un dossier impeccable. Égoïste ? Peut-être. Mais il avait déjà tout donné à son travail. Sa femme, sa famille, ses enfants et même sa santé. Le cancer avait été diagnostiqué il y avait déjà quelques semaines. Il avait été diagnostiqué suffisamment tôt pour espérer la guérison, mais quand même...

Quant à sa femme, elle avait décidé il y a plusieurs années qu'elle ne pouvait plus accepter ce genre de vie. Les horaires brisés, les semaines interminables, les dangers qui survenaient régulièrement avaient eu raison de son amour. Elle ne pouvait plus supporter de suivre son mari dans les régions éloignées, à des centaines de kilomètres de sa famille et de ses amis. Elle l'avait donc quitté avec les enfants pour retourner à Montréal. Il n'y avait pas de haine. Juste un fatalisme auquel rien ne peut résister. Surtout pas un couple. Bien sûr, pendant les premières années, il avait fait des efforts importants pour être le plus souvent possible auprès des enfants. Puis, quand ils avaient grandi, les visites s'étaient espacées. Aujourd'hui, quand il les voyait une fois par année, c'était une bonne année. Le cancer avait achevé de lui enlever ses illusions. Il ne souhaitait désormais que la tranquillité et la solitude. Avec son chien. Et c'est ce qu'il trouverait dans deux ans avec une pension confortable. Alors il voulait effectuer son travail convenablement. Il avait passé l'âge d'être à l'avant-scène. Et il savait très bien que dans l'affaire actuelle, ses compétences étaient dépassées. Il offrirait donc tout le soutien possible aux inspecteurs de la Sûreté du Québec. Il était un deuxième violon et il était trop honnête envers lui-même pour ne pas l'accepter.

En arrivant sur les lieux du crime, la pluie, comme l'avait prédit le capitaine, avait considérablement diminué. Ils constatèrent rapidement qu'il y régnait une activité importante. Plusieurs camions des services des nouvelles de stations de télévision étaient stationnés en bordure de la route, les antennes paraboliques orientées pour diffuser les reportages des journalistes dépêchés sur le site du premier crime à avoir été perpétré dans la région depuis plusieurs années. Pour le moment, tout le monde semblait caché à l'intérieur des véhicules, sauf quelques techniciens qui tentaient de protéger le matériel en le recouvrant de bâches. Un policier dont la voiture bloquait l'accès à l'entrepôt assurait la surveillance des lieux où d'autres policiers continuaient les fouilles.

Leur arrivée ne passa toutefois pas inaperçue. Malgré la pluie, plusieurs reporters, suivis par les caméramans, sortirent des camions pour se précipiter vers la voiture du capitaine Dufour. Sous leurs parapluies, ils brandissaient les micros pour obtenir les plus récents développements et, agissant ainsi, ils les empêchaient d'accéder au chemin du hangar désaffecté.

— Capitaine Dufour, quelques commentaires sur l'affaire ? disait l'un.

— Avez-vous de nouveaux développements ? disait un autre.

— La police a-t-elle pu identifier les victimes ?

— Est-ce que ces crimes sont liés au trafic de la drogue?

Les questions fusaient comme des coups de fusil. Rien ne semblait vouloir les arrêter. Le capitaine décida donc d'y faire face pour le moment et sortit de la voiture en mettant son imperméable.

— Écoutez, nous ferons le point d'ici quelques heures. Je n'ai rien à ajouter pour le moment, déclara-t-il.

— Est-il vrai qu'il y a eu trois morts excessivement violentes et que les victimes ont été torturées? lança l'un des journalistes.

— Il y a en effet trois corps qui ont été trouvés la nuit dernière dans le vieil entrepôt. Les victimes sont trois hommes dans la vingtaine qui sont déjà connus des milieux policiers, ajouta Dufour.

— Croyez-vous que c'est le début d'une nouvelle guerre des gangs? demanda un autre.

— L'enquête se poursuit. Il est trop tôt pour faire quelque déclaration que ce soit à ce sujet.

— Est-ce que c'est la police de Rimouski qui est chargée de l'affaire? demanda un troisième journaliste.

— Nous travaillons en étroite collaboration avec les enquêteurs de la Sûreté du Québec étant donné qu'il pourrait y avoir des enjeux qui dépassent notre secteur. Je n'ai rien d'autre à ajouter. Vous serez convoqués sous peu à une conférence de presse pendant laquelle nous ferons le point. Nous serons alors, je l'espère, en mesure de répondre à vos questions. C'est tout pour le moment, compléta le capitaine Dufour en remontant dans la voiture.

Aussitôt, les journalistes se tournèrent vers les caméras pour faire les premières observations de ce qui serait probablement leur reportage du bulletin de fin de soirée. Pendant ce temps, en arrière-plan, la voiture de Dufour s'élançait sur le sentier qui menait à l'entrepôt.

— Nous risquons de les avoir sur le dos partout où nous irons, désormais, dit le capitaine.

— C'est plus que probable, ajouta Palomino. Je vais voir avec Ève si la SQ ne peut pas nous envoyer un spécialiste des communications pour gérer tout ça. On en aura suffisamment à faire sans avoir en plus les journalistes sur les talons.

Sur ce, il sortit son portable pour contacter sa partenaire. Il entra dans le vif du sujet aussitôt qu'on eut répondu. De toute façon, les formules de politesse, ce n'était pas sa tasse de café.

— Ève, avant de venir nous retrouver, demande aussi aux communications de nous envoyer un spécialiste. D'ici quelques heures, il y aura des journalistes partout, et dans une petite ville comme Rimouski, ils nous suivront dans tous les coins. On pourra plus bouger sans avoir une caméra sur le dos. S'il n'y a pas quelqu'un pour leur donner des infos, ils vont nous bouffer tout cru... Et fais ça vite, ramène tes fesses aussitôt que possible. J'ai hâte d'aller parler aux Comt...

Il éloigna le téléphone de son oreille pour le contempler, incrédule.

— Elle m'a raccroché au nez, dit-il en regardant Dufour qui se mit à rire de bon cœur.

* * *

Ça faisait quelques heures qu'ils se promenaient dans les champs entourant l'entrepôt. Les policiers Félix Gabouri et Maude Lemelin en avaient plein le dos. Plein le bas du dos aurait été une expression plus précise. Depuis que la pluie s'était mise de la partie, c'était encore pire. Malgré son lourd imperméable et sa casquette, Maude sentait l'eau s'infiltrer dans son cou. Elle savait que son coéquipier n'était pas mieux loti, mais elle ne serait certainement pas la première à se plaindre. Si le rôle des femmes dans la police était généralement bien accepté, elle savait pertinemment qu'il valait souvent mieux endurer en silence sous peine de passer pour une fillette. D'ailleurs, se dit-elle en s'approchant d'un boisé au bout du champ des Comtois, on ne sait même pas ce qu'on cherche ici. Est-ce qu'ils croyaient vraiment qu'ils trouveraient un indice ou une voiture dans cette mer de boue?

— On se rend jusqu'au bois et on fait demi-tour, lui dit Félix.

— Je crois plutôt qu'on devrait entrer un peu dans le boisé, répondit-elle. C'est pas très grand. Je connais bien le coin. Une de mes meilleures amies restait ici. On passait nos étés à jouer dans ce petit bois. Juste jeter un coup d'œil. Ce sera pas long et ensuite on rentre.

Ce zèle ne lui tentait pas plus qu'à Félix. Elle en était certaine. Mais elle voulait toujours faire un effort supplémentaire. Question de montrer que les filles ne se dégonflent pas facilement. Mais la pluie mettait ses nerfs à rude épreuve. Ils avançaient de plus en plus péniblement car tout se transformait en une gadoue épaisse et gluante. Il y avait toujours une forte succion quand elle levait le pied, comme si la vase ne voulait pas dégager la botte. Leur progression était lente et Maude se demandait si finalement il ne serait pas préférable de passer par le bois pour sortir sur la route de l'autre côté. Une voiture pourrait certainement venir les chercher. Le retour à travers champs ne lui disait rien.

Ils arrivèrent enfin au boisé. Ce petit bout de forêt n'avait absolument rien de particulier. Les arbres y étaient assez petits et denses et ne facilitaient pas la marche. Mais c'était mieux que de patauger dans les sables mouvants qu'étaient devenus les champs. Au détour d'un passage plus difficile, ils eurent la surprise de tomber sur un petit sentier. Il ne devait pas être très utilisé, mais il était suffisamment large et dégagé pour que leur moral monte en flèche. De plus, il allait en direction de la route. Le bonheur dans les circonstances.

C'était l'après-midi, mais on aurait juré le début de soirée. Il faisait sombre. La lumière du soleil traversait difficilement les nuages et le peu qui en restait était encore filtré par les feuilles des arbres.

Puis, après un tournant du sentier, ils découvrirent un vieux 4 × 4. Le conducteur s'était rendu aussi loin qu'il avait pu avant que la forêt ne se referme autour du véhicule. Il s'agissait peut-être du véhicule qu'ils devaient trouver.

Maude fit le tour de la camionnette pendant que Félix s'approchait de la portière du conducteur. Il y avait tout un bric-à-brac à l'intérieur. Une multitude d'objets qui semblaient plus inutiles les uns que les autres. Félix ouvrit la porte côté conducteur en faisant attention à ne rien toucher à l'intérieur.

— Maude, qu'est-ce que t'en penses ? C'est ce qu'on cherche, tu crois ?

Elle fit immédiatement le tour, tout en examinant le fourbi qui se trouvait à l'arrière du véhicule.

— On contacte tout de suite la centrale. Faut que le capitaine vienne voir ça, dit-elle en prenant sa radio.

***

L'examen du 4 × 4 n'avait pas répondu aux espérances d'Ève Saint-Jean. Il s'agissait d'un vieux modèle Suzuki qui avait connu des jours meilleurs. Il appartenait à Nicolas Verdun, l'une des trois victimes.

À voir le véhicule, il était étonnant que les policiers de la route ne l'aient pas simplement retiré de la circulation depuis longtemps. Un camion idéal pour se promener dans les champs, mais pas sur les routes. Le dossier du 4 × 4 indiquait que plusieurs contraventions n'avaient pas été payées. La somme due dépassait largement la valeur du camion. En tout cas, c'est ce que se disait Ève. De leur côté, les gens du service d'immatriculation tentaient de remonter la filière et retrouver les noms des anciens propriétaires, s'il y en avait eus.

Quant au matériel qui se trouvait à bord, c'était un amas d'innommables « cossins » de toutes sortes. Outils, sécateurs, vieilles couvertures, cordes de toutes les longueurs, couleurs et tailles, brocantes diverses, vieux vêtements, dont plusieurs paires d'espadrilles, et tout ça entassé dans ce qui, somme toute, était un petit véhicule. Surtout s'ils voyageaient à trois personnes à son bord.

Les techniciens avaient aussi découvert des graines et des feuilles séchées de mari. Aucun doute, ce 4 × 4 avait aussi été utilisé pour transporter un autre genre de matériel. Pas de grosses quantités. Il s'agissait probablement de prendre quelques feuilles sur les plans de mari et d'aller les porter quelque part pour les faire analyser. Et tant qu'à y être, pourquoi pas en garder un peu pour le tester nous-mêmes, devaient-ils s'être dit. Ève imaginait parfaitement la scène.

Finalement, cette piste pourrait bien aboutir à un cul-de-sac. Il faudrait attendre que toutes les analyses soient terminées avant de se prononcer, mais ça partait mal.

Ève se sentait morose et avait les nerfs à fleur de peau en se rendant chez les Comtois. Tony avait raison. Il fallait reprendre certains éléments depuis le début. Il y avait presque vingt-quatre heures qu'ils travaillaient sur le dossier et il n'y avait toujours aucun signe d'une solution valable. Le seul point positif, c'est que la pluie avait cessé.

La maison d'Arthur Comtois ressemblait à toutes les maisons de ferme de la région. Une construction solide, et malgré tout chaleureuse, avec une galerie qui en faisait presque le tour. Elle était bien entretenue, c'était évident. Et il y avait ces magnifiques et énormes rosiers sauvages qui ornaient le terrain. En arrière, on voyait les autres bâtiments, dont l'étable, massive, qui abritait une cinquantaine de vaches. Les autres édifices devaient être utilisés pour remiser le matériel et la machinerie. Bref, une ferme qui donnait tous les signes de la prospérité.

Arthur Comtois les regarda descendre des voitures et venir à sa rencontre. Il était confortablement assis dans une chaise berçante sur sa galerie, et avait l'air aussi sympathique qu'un berger allemand qui voit approcher un chat. La porte s'ouvrit et celle qui devait être madame Comtois sortit. Elle était aussi souriante que l'autre était fermé et austère. C'était, de toute évidence, une femme exubérante. Un peu rondelette, le visage souriant et rougeaud, elle parlait déjà.

— Allez, viens les accueillir, dit-elle à son mari. Lève-toi de ta chaise, allez!

Sa voix était ferme, mais pas du tout colérique. Un peu comme si elle savait exactement le ton à employer pour désamorcer une situation qui pourrait devenir tendue. Elle s'approchait des policiers avec un grand sourire, tout en s'essuyant les mains sur son tablier fleuri.

— Bonjour messieurs dames, dit-elle. Venez vous asseoir une minute. Vous prendrez bien un rafraîchissement?

— Non, merci, madame Comtois, répondit le capitaine Dufour. On veut seulement vous poser quelques questions. Je vous présente Ève Saint-Jean et Tony Palomino, des détectives de la Sûreté du Québec qui travaillent sur cette enquête.

— Une bien triste affaire, dit-elle en s'approchant et en saluant énergiquement les policiers. Comment une telle chose peut-elle se produire dans un coin aussi tranquille. Ça fait peur. Je disais justement à mon mari qu'il est plus possible d'être en sécurité nulle part. Quand tout ce qu'on voit et qu'on entend à la télé arrive dans ta cour, ça fait réfléchir. Le monde est malade. Ça fait longtemps que je le dis à mon mari. Pas vrai, Arthur? Hier encore, pendant que j'étais en train de faire le marché, madame Tremblay me disait que son beau-frère, celui qui reste dans la grande ville…

— Excusez-nous, madame Comtois, mais nous sommes un peu pressés et nous voudrions vous poser quelques questions, coupa Dufour.

— Y a pas d'offense. Mon mari me dit toujours que je parle un peu trop. Mais si je parle pas dans la maison, c'est certainement pas lui qui va le faire. Y a des huîtres qui ont plus de jasette. Bon. Me v'là repartie. Je me tais et on vous écoute. Pas vrai, Arthur ?

— Monsieur Comtois, vous savez qu'il y a des plants de marijuana dans vos champs ? demanda Ève Saint-Jean, profitant de ce bref répit.

C'était assez inexplicable, mais la figure d'Arthur Comtois réussit à se fermer davantage. Arthur Comtois n'était pas très grand. Dans la cinquantaine, il était bâti tout en nerfs et en force. Son corps semblait aussi dur que son regard. Un homme habitué à travailler fort et pour qui la délicatesse n'existait pas, sauf peut-être quand il regardait sa femme.

— Oui, laissa-t-il tomber comme à contrecœur.

— Depuis combien de temps cette culture est-elle en place ? continua Tony.

— C'est la première année, je le jure. On n'a pas eu le choix. Au début du printemps, y a des gars qui sont venus. On les connaissait pas. Y'ont juste dit qu'à partir de maintenant, il y aurait des choses dans mes champs, que je devais pas poser de questions et que je devais surtout en parler à personne. Y m'ont dit que je recevrais de l'argent durant l'été et quand leur récolte sera faite. C'est tout. J'leur ai dit que j'en voulais pas de leur argent.

— Vous saviez ce qu'on faisait pousser dans vos champs ? poursuivit Tony.

Arthur Comtois le regarda directement dans les yeux.

— Monsieur, mon père cultivait cette terre. Mon grand-père avant lui. J'ai toujours travaillé ici, honnêtement. Je connais tout ce qui pousse. On est peut-être de la campagne, mais on est pas complètement imbéciles. Ni moi, ni les autres fermiers qui ont cette saloperie sur leurs terres. C'est sûr que je savais ce que c'était. Mais qu'est-ce que vous vouliez que je fasse ? Aux nouvelles, ils ont parlé d'une région où les cultivateurs ont voulu faire sortir cette merde de leurs champs. Y en a deux que leur ferme a passé au feu avant que la police arrive.

J'veux pas perdre ma ferme et j'veux pas qui arrive quelque chose à ma famille. Oui, je sais ce qui pousse dans mes champs, monsieur !

— On doit vous poser ces questions, s'excusa Ève. Nous comprenons très bien votre situation. Est-ce que vous connaissez ces hommes ? ajouta-t-elle en montrant les photos des trois victimes provenant des dossiers judiciaires.

Arthur examina les photos. Sa femme les regardait aussi par-dessus son épaule et, les reconnaissant, mit une main sur sa bouche.

— Ce sont ceux qui sont venus au printemps. On les voyait de temps en temps dans le coin à fouiner.

— Est-ce que vous les avez vus hier ? demanda Tony.

— Non. Pis mes fils non plus. Je le sais parce qu'on en a parlé au souper hier. On trouvait étrange de pas les avoir vus cette semaine. Habituellement, on voyait leurs sales têtes tous les deux ou trois jours. Est-ce que c'est eux qui ont fait « ça »... dans l'entrepôt ? Vous savez ce que je veux dire ? Est-ce que ces p'tits voyous ont tué quelqu'un ici ?

— Non ! Ce sont plutôt eux qui se sont fait faire « ça » dans l'entrepôt.

***

En revenant vers Rimouski, Ève Saint-Jean, au volant de la voiture, était toujours aussi songeuse.

— Bonne idée d'avoir demandé à Dufour de laisser en permanence une voiture près de la ferme des Comtois, lança Palomino. Tu penses que quelqu'un pourrait croire qu'ils sont dans le coup ?

— J'en sais rien, mais c'est possible. Plus j'avance, plus le brouillard est épais. La piste du trafic de drogue et d'une guerre de territoire, ça semble tenir la route pour le moment. Trois gars, qui travaillent pour on sait pas trop qui, s'occupent de trouver des endroits pour faire la culture de marijuana. Un autre groupe l'apprend et n'apprécie pas la chose… alors, représailles. Ou alors on peut penser que les fermiers en ont eu assez et qu'ils ont décidé tout simplement de ne plus participer à ce petit trafic et de régler le cas sans passer par des intermédiaires.

— Mais tu ne crois pas trop à cette hypothèse. J'me trompe?

— Non. Trop de choses clochent dans cette histoire. Et c'est certainement pas comme ça que des cultivateurs auraient tué les gars. Ce qui ne change rien aux risques que courent les fermiers parce que ceux qui font pousser cette merde pourraient penser qu'ils sont impliqués. Et ça enlève surtout pas la possibilité qu'une guerre des gangs ne reprenne.

Ève passa sa main dans ses cheveux courts. Une habitude qui indiquait qu'elle réfléchissait mais n'arrivait pas à trouver. Tony le savait très bien.

— Et puis, ajouta-t-elle en soupirant, j'ai besoin d'un bon bain pour penser à tout ça. Il y a des aspects qui manquent. Trop de points d'interrogation. On devrait recevoir tous les dossiers à la première heure demain. J'espère y trouver des informations qui permettront de trouver une vraie piste. On dirait un sacrifice, pas un règlement de comptes. Quoique la méthode soit à toute épreuve pour faire peur à tous ceux qui peuvent être impliqués dans la drogue. C'est tout un message qu'on a envoyé. Tout le monde va être sur ses gardes pendant un bon bout de temps… Tout le monde va avoir peur. C'est peut-être aussi l'effet recherché. J'en sais rien… Et puis j'ai besoin d'une petite pause.

— Et peut-être aussi d'un petit souper en tête à tête avec un médecin du coin et d'une petite soirée blues… laissa tomber Tony.

Ève le regarda avec un petit sourire en coin. Ce qui la rendait encore plus belle. À force de travailler ensemble, une complicité s'était développée entre les deux policiers. Complicité qui devenait presque palpable à certains moments. Comme en ce moment. Le téléphone de Tony sonna.

— Palomino, j'écoute... Non, mamma, j'ai pas encore eu le temps de lui parler...

Chapitre 5

Ligoté, les mains attachées dans le dos, ses yeux suppliaient. À travers les larmes, on lisait la souffrance, la douleur et la peur. Son corps était brisé, lacéré et il sentait couler son sang. Partout autour de lui. Incapable de prononcer un mot, ce sont ses yeux qui imploraient pour qu'on le laisse enfin tranquille. Il faisait froid et noir. Tout ce qu'il entendait, c'était les rires de ses tortionnaires qui prenaient une petite pause. Tout ce qu'il voyait, c'était ces visages qui prenaient plaisir à le voir souffrir. Il avait été atteint dans les parties les plus intimes de son corps. Il avait subi tous les outrages que les cerveaux pervers de ceux qui le torturaient avaient pu imaginer. Il souhaitait tomber sans connaissance pour que tout se termine. Il n'en pouvait plus. Ça durait depuis trop longtemps. Il souhaitait mourir... Puis, une main s'approcha encore. Avec un couteau. Même s'il croyait n'en avoir plus la force, un hurlement sortit de sa gorge...

C'est probablement son propre cri qui l'éveilla. Alex, tout en sueur, émergeait de ses cauchemars. La même scène se répétait inlassablement. Le repos lui était interdit. Jusqu'à quand ? Impossible de le dire. La solitude du matin l'étreignait. Son lit était trempé de sueur, mais son corps était transi et glacé. Jusqu'à la moelle. Il était impossible d'oublier, ne serait-ce qu'un moment, ces images de violence. Impossible de trouver le repos de l'esprit. Pas encore, tout au moins. Mais ça viendrait. Peut-être. Alex le savait. Avant de trouver le calme et la paix, il faudrait toutefois attendre encore longtemps. Le temps que tout puisse être exorcisé. D'ici là, il n'y avait rien d'autre à faire qu'endurer. Ses démons continueraient pendant ce temps à dévorer son esprit.

L'aube pointait à peine et déjà Alex se levait pour commencer une autre journée. Sa tête était aussi lourde que la veille et ses muscles ressentaient le manque de sommeil. Il fallait désormais continuer, maintenant que la route avait été ouverte. C'était la seule façon de contrôler un jour ses démons et peut-être de revivre, ou d'enfin mourir. Le café brûlant et noir faisait du bien. Il l'aiderait à repartir la journée, sachant que des décisions devraient être prises sous peu. Il restait tant à faire. Dans sa douche, Alex sentait l'eau laver et revigorer son corps mais comprenait que les souillures de son esprit risquaient d'être permanentes. C'était comme ça. Il fallait vivre encore, avec les souvenirs. Ceux du passé et ceux qui se marqueraient au fer rouge dans son esprit au cours des prochains jours et des prochaines semaines. C'était son destin. La route de la haine avait été ouverte par d'autres mais une fois qu'on avait décidé de s'y engager, il n'y avait plus d'arrêt possible.

***

Le sergent Palomino suait à grosses gouttes. Il courait sur le tapis roulant, sentant le feu dans les muscles de ses cuisses et de ses mollets. Il adorait cette sensation. Il s'était levé très tôt pour se rendre à l'un des deux gymnases de la ville où il faisait depuis une heure ses exercices quotidiens. Celui-ci était, il fallait le dire, beaucoup mieux équipé que celui de l'hôtel. Après les étirements, le vélo stationnaire, les échauffements et la musculation, il complétait maintenant par un sprint bien senti et prolongé.

Il avait finalement parlé à Lise en soirée, la veille. Depuis sa chambre d'hôtel. Elle lui manquait terriblement.

— Je suis certaine que tu es couché – pour ne pas dire « évaché » – dans ton lit et que tu portes seulement tes vieilles bobettes Armani, lui avait-elle dit. Je suis aussi certaine que la télé est allumée et que tu regardes le match de foot et qu'une bière, probablement tablette, trône sur la table de chevet.

Il avait souri. Elle le connaissait si bien qu'il avait parfois peur de cet amour. Tout ce qu'elle venait de dire était vrai. Évidemment.

— Pas du tout... Je suis concentré sur un dossier important pour une réunion très tôt demain matin, avait-il tenté de lui faire croire.

— Bien entendu. Et ce que j'entends derrière, c'est probablement l'enregistrement d'une autre importante réunion où il est... étonnamment question de punitions et d'essais... Elle a dû être intéressante cette réunion.

— Tu n'y es pas du tout, avait-il répondu en riant franchement. Ça m'aide à me concentrer... Et toi, avait-il répliqué après un bref silence, je suis convaincu que tu es dans ton bain, qu'il y a plein de petites bulles et pas seulement dans l'eau parce que tu as aussi une bouteille de champagne qui baigne dans le seau à glace tout à côté de toi. Tu vas me dire que tu lis un dossier pour une présentation demain, mais tes yeux sont fermés, une petite musique classique joue en sourdine et tes mains ont tendance à vouloir jouer sur ton corps... Et merde que je voudrais que ce soient les miennes.

Lise, il le savait très bien, adorait laisser ses doigts courir sur les parties les plus intimes de son corps. Elle n'avait aucun problème avec la masturbation, ce qui avait considérablement surpris Tony au début de leur relation. Quand ils faisaient l'amour, elle laissait les mains de Tony l'effleurer ou la masser et elle n'hésitait pas à le guider ou même à l'aider quand l'intensité devenait plus forte. Elle avait également réussi à faire en sorte que Tony s'exprime et partage aussi ses besoins et ses goûts pour qu'elle puisse le faire jouir d'une façon qu'il n'avait jamais connue auparavant. Elle n'hésitait d'ailleurs pas à dire qu'elle considérait ça comme un exploit puisque les Italiens sont, du moins le croient-ils, les plus grands amants du monde et les plus machos des hommes. Ce souvenir le fit sourire. Encore. Comme toutes les fois où il y pensait.

Tony se rappelait très bien leur première rencontre. Il enquêtait alors sur une présumée fraude chez un producteur de télévision bien connu qui entretenait aussi des relations avec la mafia. Lise Bélanger y était responsable du marketing et de la promotion. Un contrat qu'elle remplissait avec efficacité. Pendant qu'il épluchait des notes, elle lui était littéralement apparue. Elle était d'un dynamisme évident, savait ce qu'elle voulait et comment l'obtenir. Elle n'était certainement pas habituée à ce qu'on lui tienne tête. Elle avait surgi dans le bureau que Palomino occupait en lui disant qu'elle avait des rencontres importantes ce matin-là et qu'il n'était pas question que ses dossiers soient confisqués. Pendant au moins deux minutes, elle avait parlé sans arrêt, lui faisant comprendre, sur tous les tons, qu'elle se foutait éperdument d'une prétendue fraude et que le contrat qu'elle tentait de négocier allait marquer au fer rouge le monde de la promotion québécoise. Rien ne semblait pouvoir l'empêcher d'aller jusqu'au bout de ce qu'elle avait à jeter à la figure de ce petit policier. Lui, impuissant à endiguer le fiel qui coulait de sa charmante bouche, la regardait en souriant. Il tentait de la calmer en tenant ses mains devant, paumes levées, en signe de paix. Rien n'y faisait. Il lui avait fallu attendre qu'elle soit, pendant quelques secondes, à bout de souffle et à court d'expressions colorées pour intervenir.

Palomino avait immédiatement été sous le charme de cette femme aux yeux d'ange et au corps de déesse. Il lui avait patiemment expliqué les raisons de leur présence et la nécessité de conserver tous les éventuels éléments de preuve pour qu'ils soient analysés. Elle avait finalement compris et abdiqué en disant qu'il était peut-être possible de tenir sa réunion ailleurs, sans les dossiers et sans pour autant compromettre les résultats qu'elle espérait. Sur quoi elle avait tourné les talons et était partie.

Au cours des jours suivants, Palomino l'avait rencontrée à plusieurs reprises. Pour des interrogatoires. Il était vite devenu évident qu'elle n'était absolument pas mêlée aux magouilles de son patron. De son côté, Lise ne semblait pas non plus insensible aux charmes de cet Italien qui ne portait que des vêtements griffés. Ils s'étaient donc donné rendez-vous sur rendez-vous, mais, ils l'admettaient maintenant, ils avaient été attirés l'un par l'autre dès le premier regard.

— Monsieur le policier! Monsieur!

Tony continuait à courir sur son tapis roulant, suant de tout son corps et affichant un sourire niais et béat. Soudain, cette voix insistante fit revenir son esprit au gymnase à toute vitesse, brisant son rêve.

— Oui... Oui, dit-il en soufflant bruyamment et en regardant ce jeune homme qui l'apostrophait. Il ne savait donc pas que l'exercice est sacré et qu'on ne dérange pas quelqu'un qui se concentre pour s'entraîner?

— C'est moi, sergent, l'ambulancier qui était là, l'autre soir. Vous vous souvenez?

— Oui... Régis je crois, haleta Tony qui n'oubliait jamais une figure ou un nom.

— Oui, monsieur. Excusez-moi de vous déranger, mais quand je vous ai vu ici, je me suis dit que vous aviez peut-être réglé cette enquête.

— Désolé, mon vieux. Rien n'est encore réglé, comme tu dis. Et c'est une sale histoire, dit Palomino pendant qu'il faisait ralentir le tapis roulant.

— J'serais content de pouvoir vous aider... si je peux, continua Régis. Vous nous avez demandé si on avait vu des gens spéciaux dans les derniers jours.

Tony avait maintenant arrêté de courir et épongeait la sueur avec une serviette.

— Alors quoi? Quelque chose t'est revenu? demanda-t-il.

— Pas vraiment. Comme Michel vous l'expliquait, pendant les vacances y a plein de nouveau monde partout. Mais comme vous êtes ici, j'voulais juste vous dire qu'hier soir, un gars est venu s'entraîner. On l'avait jamais vu ici.

— Et qu'est-ce qu'il avait de particulier? demanda encore Tony qui aurait bien voulu que Régis en vienne au fait le plus rapidement possible.

— Ben, si vous cherchez encore des motards, c'en est certainement un. En tout cas, il est exactement comme je les imagine. Une pièce d'homme, sergent. Ça fait long-temps que j'avais pas vu un gars aussi gros. Ça fait peur.

Régis avait des intonations de respect et d'admi-ration dans la voix.

— Et c'était la première fois que tu le voyais ici?

— Ça, c'est certain. Un gars comme ça, ça passe pas inaperçu, ajouta Régis.

— Et tu connais son nom?

— Non, sergent. Mais je suis certain que si vous demandez à Monique, à la réception du gym, elle vous le dira. J'peux aller lui demander pour vous, si vous voulez.

— Merci Régis. Je vais le faire moi-même. Merci du renseignement.

Palomino, toujours essoufflé, décida de passer immédiatement au comptoir avant d'aller à la douche. La Monique en question n'y était pas. Elle travaillait de soir. Un jeune homme, beau et évidemment musclé, était actuellement en poste.

— Bonjour, dit Palomino. Je suis de la Sûreté du Québec. Hier un gars est venu s'entraîner. Un nouveau qui en était à sa première visite. Probablement un visi-teur. Est-ce que vous pourriez me donner son nom, s'il vous plaît?

— Hier soir, vous dites? lui répondit le respon-sable en consultant le registre de la veille. Je peux jeter un coup d'œil, mais s'il y avait beaucoup de nouveaux hier je pourrai pas vous aider. Il va falloir revenir ren-contrer Monique.

Il lui fallut quelques secondes pour examiner la liste des personnes présentes la veille.

— Vous êtes chanceux. Y avait pas beaucoup de

monde et presque tous des habitués. J'en ai un ici, qui vient de Montréal. Un certain Marc Trudeau. Si c'est pas lui, il faudra revenir, ajouta-t-il.

— Vous savez à quel endroit il est descendu?

— Non, monsieur. J'ai seulement une adresse à Montréal. Mais s'il est descendu dans un hôtel, c'est probablement aux «Gouverneurs».

— Merci beaucoup, dit Palomino en se dirigeant vers le vestiaire après avoir noté l'adresse du type à Montréal.

L'eau fouettait son corps et lui faisait un bien fou après l'exercice. Était-ce une coïncidence? se demandait Tony. L'arrivée d'un gars qui ressemble à un motard le lendemain même de trois meurtres était étrange. Il avait pris l'adresse du type à Montréal et ferait faire les vérifications dans les hôtels du coin, en commençant par l'Hôtel des Gouverneurs, qui était d'ailleurs celui où il était descendu. Une autre coïncidence? se demanda-t-il. Peut-être pas, parce que finalement, tout le monde descendait à cet hôtel.

Soudain, il se frappa la tête de la main. «Bordel, j'ai oublié hier de faire à Lise le message de ma mère. Elle va me tuer… ou, au mieux, me déranger encore toute la journée! Quelle chiotte!»

***

Ève Saint-Jean sentait encore son corps traversé de délicieuses et pénétrantes sensations. La soirée avait été merveilleuse, et la nuit absolument extraordinaire. Serge L'Écuyer était divin. C'était le mot. Divin. Pendant le souper de la veille au restaurant, il avait été adorable. Sa nervosité et sa candeur avaient fait fondre Ève. La policière avait fait en sorte que le docteur ne puisse demeurer indifférent. Pour une rare fois, elle portait une robe. Une petite robe noire toute simple, courte et hyper moulante qui en dévoile juste assez pour laisser toute la place à l'imagination. Le regard du médecin quand il était venu la chercher avait été assez éloquent pour qu'Ève sache qu'elle avait fait le bon choix. Il ne semblait pas très à l'aise avec les femmes et de voir la transformation qui était survenue à la détective l'avait laissé sans voix. Pas trop longtemps quand même car il s'était vite servi de sa profession, une véritable passion chez lui, pour faire diversion pendant qu'ils prenaient place à leur table.

Pour l'occasion, Serge L'Écuyer avait choisi le restaurant de la marina qui offrait une vue splendide du coucher de soleil sur le fleuve et des bateaux à quai qui procuraient toujours un sentiment de voyage, d'aventure et de vacances.

La nervosité du doc était visible. Surtout pour Ève, qui, d'un simple coup d'œil ou d'un mouvement d'épaules désinvolte, lui faisait échapper un verre de vin, bafouiller, oublier sa phrase, renverser un autre verre ou échapper ses ustensiles. Un véritable amour, se disait Ève.

Ils avaient ensuite partagé une soirée de blues dans un charmant bar un peu enfumé, plein de jeunes gens dynamiques. L'endroit avait plu à Ève dès son entrée. Tous ces étudiants qui venaient prendre quelques verres pour oublier les devoirs, les études et les examens du lendemain étaient bruyants mais cette énergie s'ajoutait à la puissance de la musique pour créer des moments de pure joie.

Ils s'étaient finalement promenés sur la rue Saint-Jean-Baptiste, puis près du fleuve. Ils avaient partagé leurs souvenirs. S'étaient raconté leur vie. Leurs amours déçus. Ce qu'il était advenu de leurs rêves. Ils avaient parlé de leurs espoirs et de l'avenir. Tout ça les avait naturellement conduit à la chambre d'Ève où ils avaient fait l'amour avec l'énergie incroyable des premiers rendez-vous.

En ouvrant les yeux au matin, Ève avait senti son corps encore traversé de délicieuses et pénétrantes sensations. Elle regarda Serge qui dormait et lui posa un doux baiser sur l'épaule avant de se lever pour aller prendre une douche bouillante.

L'eau fouettait agréablement son visage. Elle se laissait bercer quand elle sentit une présence douce et rassurante et que Serge posa naturellement ses mains sur ses seins pour les masser. L'eau ruisselait sur les corps entrelacés. Pendant que les mains continuaient leur exploration, Ève sentit le désir renaître... Encore.

***

Le capitaine Dufour était de très mauvaise humeur. Cette affaire l'avait empêché de dormir. Or, il avait horreur que le travail lui fasse perdre les heures de sommeil indispensables à son bien-être. L'aube l'avait surpris devant son ordinateur à faire des recherches sur Internet. Il tentait de trouver d'autres cas semblables. Le genre de meurtres qu'on avait commis dans sa ville devait bien ressembler à quelque chose qui était déjà arrivé ailleurs.

Mais ses recherches avaient été vaines. Il y avait bien sûr eu dans le monde des événements atteignant cette horreur. Mais on les retrouvait lors de conflits sanglants comme ceux survenus au Rwanda, en Éthiopie ou au Cambodge. D'ailleurs, ce qu'on avait vu dans ces pays atteignait des niveaux d'épouvante inconcevables.

Il y avait aussi certains textes, datant souvent du Moyen-Âge, qui faisaient allusion à des sacrifices rituels. Des sacrifices humains pour exorciser la colère des dieux. Il y avait également des cas de tueurs en série dont le modus operandi démontrait une imagination monstrueuse. Une façon de tuer diabolique qui faisait appel aux pires bassesses. Pourtant, sa recherche ne rimait à rien. Ce n'est pas dans cette direction qu'il fallait chercher. En tout cas, pas tout à fait. Pourtant, il était convaincu qu'Ève avait raison. Ce n'est pas le genre de représailles qui avait cours dans les gangs. Ça ressemblait à un châtiment. Ou quelque chose comme ça. Mais il doutait. Lui aussi avait vu, durant sa carrière, quelques règlements de comptes qui n'avaient franchement rien à envier à ceux de la nuit précédente. Et si les meurtriers avaient voulu lancer un message, à qui était-il destiné?

Et ceux à qui il était adressé, le comprendraient-ils ?

Dufour se rendait compte qu'il avait travaillé toute la nuit sans avancer. De toute façon, il n'était pas certain qu'il aurait pu dormir. Autant fouiller un peu. Il aurait aimé trouver une piste. Ce n'était pas le cas et ça ne servait à rien de s'apitoyer sur son sort. Il avait tenté sa chance et avait échoué. C'était comme ça et ce n'était pas grave.

Ce serait bientôt l'heure d'aller au bureau. De nouveaux renseignements étaient certainement rentrés durant la nuit. Et dans moins d'une heure on allait tout reprendre depuis le début.

* * *

Big n'avait pas perdu son temps. La veille, il avait eu une brève conversation avec Pop. Question de faire le point.

— Y a rien de neuf pour le moment, avait-il dit. Mais ça fait moins de vingt-quatre heures que je suis ici.

— Faut que les choses bougent. Et vite, mon vieux. Tout le monde est déjà au courant que trois de nos gars ont été tués.

— J'ai rien trouvé pour l'instant, mais on fait le maximum. Michel parle à tous ses contacts et on a fait comprendre à Trou-de-Beigne qu'il fallait qu'il bouge son gros cul.

— En passant, profites-en pour le surveiller un peu. J'aime pas la façon dont le marché se développe dans son coin. Pas assez rapidement.

— C'est déjà prévu... D'un autre côté, c'est certain que les policiers ont des soupçons sur lui. Y en a deux qui sont venus lui rendre visite hier.

— Avec lui, ça ne m'étonne pas, dit Pop. Faudra régler ce détail...

— Aussitôt que possible, compléta Big.

— Pour le reste, j'ai pas besoin d'attendre d'avoir des confirmations et des preuves pour lancer quelques messages. Tu m'as compris ?

— Parfaitement, répondit Big en raccrochant.

Au matin, Big s'était installé pour surveiller une maison qui dominait la falaise devant le fleuve, en banlieue de Rimouski. Les affaires, c'est une chose, mais la famille, c'est la famille. Les leçons du passé ont porté dans tous les groupes criminalisés. Il fallait faire attention aux cibles et surtout ne pas avoir de pertes « collatérales ». Cette maison appartenait à l'un des chefs des « Black Pistoleros » de la région. Un groupe de motards qui faisaient la lutte à l'organisation de Pop. Un certain Thomas Dubé y vivait. Big le connaissait pour l'avoir rencontré il y a quelques années quand les territoires de Montréal et du Québec avaient été redessinés. Il était convaincu que Dubé se souvenait aussi de lui. La porte venait de s'ouvrir. Une femme et deux enfants sortaient. Son épouse, sans aucun doute. Elle allait reconduire les enfants au camp de jour. Comme tous les matins depuis le début des vacances d'été.

Big, qui avait déjà repéré les lieux, sortit de sa voiture pour emprunter un petit sentier qui l'amènerait près de la voiture de Dubé, qui, dans quelques instants, sortirait à son tour.

La porte s'ouvrait à nouveau. Un homme, à l'allure athlétique, au teint foncé, aux longs cheveux blonds et bouclés descendait les quelques marches de l'entrée. Il portait un veston beige sur une chemise largement ouverte et colorée. Il donnait l'impression d'être nettement au-dessus de ses affaires et de n'être absolument pas stressé. Il ressemblait plus à une vedette rock de Californie qu'à un motard. Dubé s'approcha lentement de son auto en sifflotant. Big sortit alors de nulle part pour l'écraser contre la portière, lui faisant perdre le souffle.

— Tiens-toi tranquille, dit Big pendant que sa main gauche le fouillait avec une économie de mouvements et une efficacité issue d'une longue expérience.

— Bon, c'est parfait, ajouta-t-il. T'as rien. C'est sage.

Big retourna Dubé. D'un geste brusque et puissant. Face à face, les deux hommes se regardaient.

— Salut Big, dit Dubé en reconnaissant le colosse. Je me doutais bien que je recevrais de la visite prochainement. Mais je pensais pas que tu viendrais en personne. C'est peut-être plus grave que ce qu'on imaginait.

— On avait convenu que cette région nous appartenait, dit Big. Qu'est-ce que tu fais ici?

— Je suis ici simplement pour me reposer. Qu'est-ce que tu crois?

— Écoute-moi bien, Dubé. Ce territoire est à nous. On vous laissera pas entrer ici.

— Vous êtes bien entrés en Abitibi et c'est à nous. Pourquoi alors on devrait vous laisser toute la place ici?

— C'est pour ça que vous avez tué nos gars?

— Non. C'est pas nous. On a rien à voir là-dedans. On fait peut-être des petites affaires dans certaines petites villes reculées où vous n'êtes pas encore installés, mais on n'a jamais touché à vos gars.

— Oubliez la région. Contentez-vous de ce que vous avez avant qu'on décide de vous enlever ça aussi. Et si jamais on apprend que vous êtes impliqués, d'une façon ou d'une autre, dans le meurtre de nos gars, ma prochaine visite sera moins amicale. Et je te laisse un petit message de Pop...

Son énorme poing partit comme une masse pour s'écraser sur le visage de Dubé qui eut juste le temps de sentir que son nez était cassé avant de tomber, sans connaissance.

Big le laissa inconscient, étendu à côté de son auto. Le sang coulait abondamment sur son visage.

— Vous avez vraiment intérêt à ne pas être mêlés à ça, ajouta-t-il, sachant bien que l'autre ne pouvait plus l'entendre.

***

Franco Moresmo savourait la fraîcheur du matin. Ce serait une belle journée. Un peu chaude probablement, mais magnifique, de toute évidence. Il profitait de quelques jours de vacances à sa ferme, au nord de Montréal. Il adorait ses chevaux et venait les voir aussi souvent que possible. Dans la cinquantaine, les cheveux courts et encore d'un noir d'ébène, Moresmo était le type même de l'homme d'affaires qui a réussi. Même en jeans et en chemise de cow-boy, il avait un chic et une classe indéniables. Moresmo n'était ni plus ni moins que le Parrain. Le chef de la mafia montréalaise. Si la pègre se faisait plus discrète depuis plusieurs années, elle n'était pas restée inactive pour autant. Elle avait encore accentué ses efforts, principalement dans le monde des paris illicites et des casinos. Elle avait aussi aidé certains groupes autochtones pendant l'épisode des cigarettes illégales et s'était implantée dans l'importation de nouvelles drogues dures, en plus de mettre sur pied un réseau de vente d'organes humains, sans oublier pour autant les secteurs traditionnels de la prostitution, du recel et de la protection. Bref, la mafia occupait toujours une place importante, sinon unique, dans le monde du crime organisé, non seulement à Montréal, mais partout dans le monde. Moresmo était un homme important.

Il examinait sa ferme d'un œil critique. Il aimait bien cet endroit. D'ailleurs, le terme « ferme » n'était pas exact. Il s'agissait plutôt d'un ranch, avec une maison solide, grande et confortable, entourée des enclos de pratique et d'une écurie gigantesque. Partout il y avait des arbres matures qui dominaient les bâtiments en donnant l'impression de surveiller les alentours.

Il était encore tôt et la ferme s'éveillait à peine. Franco, debout sur la galerie de sa maison, sirotait son cappuccino et fumait sa cigarette en se disant, encore une fois, qu'il devrait arrêter cette habitude. Mais, se dit-il avec lucidité, ce sera probablement pas ça qui va me tuer.

Son regard fut soudain attiré par le responsable de l'entretien des chevaux qui s'approchait en courant, l'air catastrophé.

— Monsieur, monsieur, criait-il en arrivant près de Moresmo.

— Oui, qu'y a-t-il Luigi ?

— Montségur, Montségur, votre cheval...

— Je sais que c'est mon cheval. Qu'est-ce qu'il y a ?

— Monsieur, Montségur est mort...

— Quoi ?

— Il a été tué, dit-il.

Quelqu'un d'autre sortait de la maison.

— Téléphone, monsieur. On dit que c'est urgent, lui dit la jeune femme en lui tendant le combiné.

Le message que Moresmo entendit était bref :

— C'est un simple avertissement. Ne jouez pas dans notre carré de sable. Ne vous mêlez pas de nos affaires. Jamais...

On avait raccroché. Franco n'entendait plus que la tonalité.

— Santa Madonna. Ils vont me payer ça... cracha-t-il.

Chapitre 6

Tout le monde était déjà dans la salle de réunion du poste de police quand Tony fit son entrée. Il portait ce qui, selon lui, se rapprochait le plus d'une tenue décontractée. Jeans blancs et t-shirt sans manches Armani avec veston sport noir et baskets gris Gucci. Comme d'habitude, quand il arriva, tout le monde le regarda. Outre le capitaine Dufour et Ève Saint-Jean, il y avait autour de la table le docteur L'Écuyer et un nouveau venu qui semblait dans la jeune vingtaine et qui appartenait, le doute n'était pas possible, à la Sûreté du Québec. Probablement le responsable des communications qui avait été délégué par Montréal, songea Palomino. On lui présenta Michel Taschereau, agent de communications. Avec son uniforme strictement réglementaire, sa coupe de cheveux tout à fait réglementaire et la célèbre moustache tout aussi réglementaire, on aurait juré que Taschereau avait été bâti pour correspondre, point par point, à l'image du policier efficace et rassurant. Ce qui était, somme toute, son travail. Il sera parfait pour donner le change aux journalistes, s'était dit Palomino.

— Bienvenue dans l'équipe, lui dit Tony.

— Merci beaucoup. C'est ma première affectation comme responsable des relations médias. Je vais faire de mon mieux pour vous appuyer.

— C'est pas vrai, dit Palomino à Ève. Ils nous envoient une recrue. La première scène de meurtre dans la région depuis des décennies et ils nous envoient un nouveau… C'est pas croyable !

— Nous avons reçu beaucoup de nouvelles informations, le coupa le capitaine Dufour qui n'aimait pas beaucoup ce genre d'attitude. Les dossiers du tribunal de la jeunesse sont arrivés très tôt ce matin.

— Très intéressant, confirma Ève le nez déjà dans les dossiers. On y apprend que Nicolas Verdun, le propriétaire du 4 × 4 trouvé dans le petit bois, a été arrêté et condamné pour abus sexuels graves et violences sur des jeunes. Autant des garçons que des filles, d'ailleurs. Il y a eu un mort. Un garçon du nom de Jean-François Hugo. Les détails sont assez sordides. Le jeune est mort de ses blessures et des sévices qu'il a subis. Assez atroce comme topo. Là où ça devient plus intéressant, c'est qu'un des deux autres types assassinés il y a deux jours était aussi son complice dans cette histoire. Il s'agit de Jean-Pierre Auger. Ces deux-là, ce sont vraiment pas des anges. Le troisième, Luc Robitaille, ils l'auraient rencontré en prison. Un autre numéro. Arrêté pour avoir tenu des sites Internet dédiés aux pédop?iles. Il aurait forcé des jeunes à avoir des relations pour prendre des photos qu'il mettait ensuite sur ses sites. Tu te rends compte. Il avait lui-même tout juste seize ans. Pour le reste, il semble que leur temps en prison se soit bien passé. Ensuite, on les perd de vue pendant quelque temps. Puis la police les arrête à quelques occasions pour vol de voitures, trafic de drogue, etc. Mais ces détails, vous les aviez déjà dans les dossiers dont nous avons obtenu copie.

— En un sens, ils méritaient bien ce qu'ils ont eu, dit Tony. Abuser des enfants, c'est toujours une tragédie.

— Attends, continua Ève qui poursuivait sa lecture. Tous ces méfaits ont eu lieu dans la région du Bas-du-Fleuve. Donc ici.

— Mais je ne comprends pas en quoi ça nous avance.

— Pour la première fois, on a un autre point commun que la drogue sur lequel on peut enquêter. Cette histoire de sexe ultra-malsaine, c'est aussi une piste, avança Ève.

— On a quand même rien pour lier les meurtres de cette semaine à ces vieilles histoires, continua Palomino. Il faudra trouver autre chose pour qu'on ait un début de piste.

— Je suis pas d'accord. Le fait qu'il y ait quelque chose comme un sacrifice humain dans les assassinats qui ont été perpétrés nous porte à penser qu'il y avait une autre raison qu'une guerre de territoire pour la drogue, dit Ève. Tu sais aussi bien que moi que tout ne colle pas dans ces meurtres.

— Quand on regarde le dossier jusqu'au bout, ajouta le capitaine comme pour défier Ève, on voit aussi qu'ils auraient été recrutés par un groupe de motards qui a tenté de s'implanter ici, il y a quelques années. Nos bonhommes auraient souvent été vus avec des membres des « Evil Disciples ». Vous vous souvenez peut-être de ce groupe ?

— Oui, réfléchit Palomino. C'est un groupe assez bien installé dans le reste du Canada et dans l'ouest des États-Unis. Assez régulièrement, ils font des tentatives pour étendre leur influence ici et ouvrir de nouveaux marchés.

— C'est même un groupe qui a la réputation d'être violent, précisa Ève. Et quand on sait que les autres groupes ne sont pas des enfants de cœur... ça laisse songeur.

— C'est certain que si jamais les Disciples sont dans le portrait, la thèse du trafic de drogue et d'une bataille pour un territoire prend du mieux, ajouta Tony. Mais la question demeure entière : « Qui peut avoir intérêt à tuer ces trois types... et surtout de cette façon ? »

— Il y a un autre point dont il faut aussi tenir compte, dit Dufour. Il y a eu, tôt ce matin, une agression sur un gars qu'on sait lié aux « Black Pistoleros ». Il n'y a pas eu de plainte formelle, mais il a été frappé par quelqu'un. Sa femme l'a trouvé sans connaissance près de sa voiture. Elle revenait à la maison après être allée reconduire les enfants. Elle a tout de suite contacté les ambulanciers qui ont appelé la police en voyant de quoi il s'agissait. Mais le gars, dans sa déposition, dit qu'il est simplement tombé et qu'il s'est cogné la tête. Cette version n'est tout simplement pas croyable, selon les policiers. Il ne veut pas le dire, mais je crois qu'il a reçu de la visite.

— C'est la première étape, énonça Palomino. Les avertissements. Il faudra être très attentifs pour voir quel sera le prochain mouvement et qui bougera. Il faut absolument que l'enquête avance. Est-ce qu'il y a autre chose, Ève ?

— Il y a quelque chose de notre côté, dit le docteur L'Écuyer. Les techniciens qui ont analysé les empreintes sur place et qui ont fait les relevés disent qu'il y avait au moins trois agresseurs, probablement quatre. Je peux aussi vous dire que les décès ont eu lieu entre minuit trente et une heure quinze. C'est la balle tirée dans la tête qui les a tués tous les trois, mais ils seraient morts de toute façon au bout de leur sang. Ils n'auraient vraisemblablement pas survécu jusqu'au moment où les Comtois sont arrivés.

— Avez-vous pu déterminer pendant combien de temps les tueurs les ont torturés avant d'en arriver à l'exécution, demanda le capitaine Dufour.

— Difficile à dire, répondit le docteur. Vous savez que certains spécialistes de la torture peuvent garder quelqu'un vivant pendant très longtemps. Dans ce cas, j'ai toutefois l'impression que les agresseurs n'ont pas ce genre de spécialité. Les blessures ont été faites pour faire mal et pour frapper l'imagination des autres qui devaient être forcés de regarder… Disons qu'une heure me semble le maximum qu'ils ont pu résister. Mais je peux me tromper. En ce qui concerne l'ablation des pénis, on croit que l'opération a été faite à l'aide d'un scalpel comme ceux qui sont utilisés dans les hôpitaux. Ce pourrait aussi être une lame de rasoir. La coupe est nette et presque chirurgicale. Les agresseurs, au moins, n'ont pas utilisé un vieux couteau. C'est déjà ça. Mais c'est une piste impossible à suivre car on peut trouver à peu près partout ce genre d'instruments.

— Qu'en est-il de l'arme ? demanda Ève Saint-Jean.

— D'après les douilles trouvées sur place, on a utilisé un 9 mm, dans le genre des Smith and Wesson. Un 9 mm peut, comme vous l'avez vu, faire beaucoup de dégâts. Même si on retrouvait l'arme, il serait difficile de remonter la filière pour savoir d'où elle peut provenir. Je ne me fais pas d'illusions. Vous savez qu'au Canada, malgré les tentatives, il y a plus de soixante-dix pour cent des armes de poing qui ne sont pas enregistrées ? Et que dans les cas de meurtre, ce sont très rarement des armes connues qui sont utilisées ? Bref, c'est pas gagné.

— Alors ! Quelle est maintenant la prochaine étape ? interrogea le capitaine de police.

— Dis-moi Ève, demanda Tony, avons-nous aussi reçu les noms de nos indics dans le secteur ?

— Tout à fait, répondit-elle. La liste n'est pas longue mais ça vaut la peine d'aller les rencontrer. Je te suggère d'y aller, histoire de faire connaissance. Pendant ce temps, je voudrais retracer et aller voir certains parents des victimes d'agressions sexuelles. Question de me faire une idée et de ne pas laisser de côté une piste éventuelle. En passant… à propos des cellulaires des victimes, il semble qu'il y ait beaucoup d'appels entrants et sortants non seulement depuis mais aussi vers le bar de Dumas. D'autres appels ont été logés au cellulaire personnel de Trou-de-Beigne, comme tu l'appelles affectueusement.

— Intéressant tout ça. Et ta proposition d'horaire me va très bien, compléta Palomino. Au fait capitaine, pourriez-vous demander à quelqu'un de se renseigner sur un type du nom de Marc Trudeau. Il serait descendu aux Gouverneurs. C'est un gars de Montréal qui est arrivé hier. J'ai une adresse mais rien n'assure qu'elle soit exacte. J'aimerais savoir de qui il s'agit vraiment…

Alors allons-y et on se retrouve plus tard en journée pour faire le bilan.

Comme tout le monde se levait, l'agent des communications intervint.

— Juste une seconde. J'ai déjà plusieurs demandes de journalistes pour rencontrer les responsables. Qu'est-ce que je leur dis ? Est-ce qu'on doit parler d'une guerre de gangs ou d'une question de meurtres sexuels ?

— Allo ! Allo ! Y a quelqu'un ? dit Tony en se tapant deux doigts sur la tempe et en regardant directement dans les yeux du bleu. On leur dit rien de tout ça. On s'en tient au strict minimum. L'enquête se poursuit. On peut leur donner le nom des victimes et pour le reste tu inventes ce que tu veux, mais il est pas question de dire que c'est une nouvelle guerre de drogue ou des meurtres sexuels. Non mais… termina-t-il en sortant de la salle.

***

Les visites aux indicateurs de la Sûreté du Québec n'avaient rien donné. Palomino s'était dans les trois cas retrouvé devant des hommes peu enclins à partager de l'information. Il avait même dû être particulièrement persuasif avec le dernier, qui mettait une mauvaise volonté évidente à simplement répondre aux questions les plus simples. Tony sourit en se disant qu'il aurait probablement besoin d'une petite visite chez un chiro pour une épaule endolorie.

Ce qu'il avait appris se résumait en peu de chose. Personne ne savait rien ! Sauf que depuis hier, tout le monde posait des questions. Pas seulement la police. Une autre preuve que les gangs ne restaient pas inactifs. Tout le monde cherchait à savoir qui pouvait être derrière les meurtres des trois hommes du gros Dumas. Et personne n'avait d'idée à ce sujet. En tout cas, pas d'indices solides, sinon des ouï-dire parfois incroyables. Palomino avait toutefois pu lier Dumas au gang de Pop. C'était certainement le groupe de motards le plus important et le mieux organisé au pays. Ce qui, en soit, ne présageait rien de bon car s'attaquer aux gars de Pop, c'était toujours un peu suicidaire. Ce qu'on savait, toutefois, c'est que ça bougeait.

Des rumeurs circulaient d'ailleurs à l'effet qu'un lieutenant important de Pop était en ville depuis la veille. On savait aussi que les Pistoleros se tenaient particulièrement sur leurs gardes et il y avait même des échos selon lesquels la mafia serait aussi dans la région. Rien de bien prometteur pour l'avenir, selon Tony. Il fallait définitivement y voir.

Il s'était donc rendu faire une nouvelle visite au gros Dumas qui devait en savoir plus qu'il ne le disait. L'endroit, même par un après-midi ensoleillé, était toujours aussi sombre et donnait une impression générale de décrépitude. Au comptoir, la même serveuse était encore absorbée par ses paperasses. Palomino se dirigea directement vers elle. Elle semblait définitivement plus nerveuse qu'à sa précédente visite. Il approchait du bar quand elle leva soudain les yeux avec un petit geste de recul. Elle portait toujours une tenue aussi sexée, dévoilant largement sa poitrine. Toutefois, malgré le maquillage, un bleu sur sa joue attirait le regard.

— Toujours beaucoup de boulot à ce que je vois, dit Palomino, affichant son éblouissant sourire.

— Comme tous les jours, lui répondit-elle.

Elle lui rendit son sourire mais semblait beaucoup plus timide que la veille, ayant perdu cette attitude déterminée et provocante qui faisait croire qu'elle ne voulait rien savoir de personne.

— C'est un métier dangereux, lui dit-il en pointant discrètement l'ecchymose sur la joue.

— Ça arrive, monsieur, répondit-elle laconiquement.

— Appelez-moi Tony. Pas de chichis entre nous.

Il sortit les photos des trois morts. Pas celles prises après les assassinats, mais celles provenant des dossiers de la police.

— Reconnaissez-vous ces personnes ?

— Est-ce qu'on peut se tutoyer ? lui demanda-t-elle. Ici on est dans un milieu où il est rare qu'on dise « vous ».

— Pas de problème pour moi... Alors, connais-tu ces gars ? répéta-t-il.

Elle examina les photos pendant quelques instants.

— Est-ce que ce sont les gars qui ont été tués ?

— Tu réponds toujours à une question par une autre ?

— Ça t'embête ?

— Pas si j'ai aussi des réponses à l'occasion. Alors je répète, connais-tu ces gars ?

— Qu'est-ce que ça change que je les connaisse ou non ?

— Bon, écoute bien. Ce sont effectivement les trois gars qui ont été tués. On sait très bien qu'ils faisaient des affaires avec Dumas. Mais je te demande si toi tu les connais.

— Oui. Ils venaient régulièrement ici pour prendre une bière et voir les filles. Ils venaient surtout pour voir Dumas mais ils restaient ensuite des heures à ne rien faire d'autre que d'embêter les filles.

— T'as pas l'air de les aimer beaucoup, dit le policier.

— C'était des petits salauds. Et en plus, c'était des violents. Tu sais, le genre à trouver très drôle de pincer les fesses ou les seins des filles juste pour leur faire mal. Tu vois le genre ?

— Et personne ne leur disait rien ?

— Qui aurait osé ? C'était des hommes qui relevaient directement de Dumas. Personne ne savait exactement ce qu'ils foutaient ici, mais personne aurait osé leur dire de se tenir tranquille. Même pas les doormen.

— Et toi. T'as pas l'air d'avoir la langue dans ta poche. Tu leur disais rien non plus ? demanda Palomino.

— Inquiète-toi pas. On me faisait comprendre de la fermer. Mais je m'arrangeais pour que les filles ne se fassent pas trop déranger par les trois petits cochons.

C'est comme ça que tout le monde, sauf Dumas, les appelait ici.

— En parlant de lui... Il est dans son bureau?

— Il est toujours dans son bureau. Il sort même pas pour aller se laver.

— Et dis-moi, ton bleu sur la joue? J'imagine que c'est pas en te rasant ce matin que tu t'es fait ça?

— C'est pas grave... Un petit accident.

— C'est Dumas qui t'a fait ça?

— Disons qu'il a eu une visite qu'il a pas aimée et qu'il a dû penser que c'était ma faute...

— T'es une chic fille, et je connais même pas ton nom.

— On m'appelle Nancy. Mais mon vrai nom c'est Denise.

— Merci Denise, lui dit-il en se dirigeant vers le bureau de Dumas.

— Dis Tony, lui dit-elle pour qu'il se retourne. Si jamais tu veux qu'on aille souper un soir... je suis partante.

— Invitation bien appréciée Denise. Mais je peux rien jurer pour le moment...

— Alors fais au moins attention avec le gros. Lui aussi c'est un salaud et un violent.

— Merci encore.

Il entra dans le bureau de Dumas. Tony n'avait rien contre les gros. Au contraire, plusieurs de ses amis étaient... disons bien enveloppés. Il se souvenait aussi avoir été, au début de l'adolescence, un jeune qui, sans être gros, était «enrobé» ou «ragoûtant», comme disaient ses vieilles tantes. Mais Dumas c'était autre chose. Il suintait la malice de tous ses pores. Être gros, c'est une chose. Être obèse et se vautrer dans sa graisse, c'en était une autre. Dumas allait encore plus loin. Dans ses petits yeux glauques, on voyait un goût prononcé pour la violence et un égoïsme démesuré. Tout dans son attitude était détestable. En tout cas, c'est ce que ressentait Tony. Même dans le sourire de Dumas, il voyait le loup qui voulait s'amuser et faire mal avant de bouffer sa proie. Finalement, Tony n'avait absolument aucun atome crochu avec cette montagne infecte qui trônait derrière son bureau.

— Tiens... Ne me dites pas... Sergent Pralino! Non? dit Dumas tout sourire.

— Palomino, corrigea-t-il. Mais appelez-moi sergent.

— Eh bien, que puis-je pour vous « Sergent »? dit Dumas.

Tony nota l'insistance de Dumas à lui donner son titre. C'était tellement évident qu'on avait l'impression d'entendre le « S » majuscule dans la façon dont il avait prononcé le mot « sergent ».

— Quand on s'est vus, hier, vous avez dit que vous aviez engagé Verdun, Auger et Robitaille pour effectuer des travaux de construction et de rénovation pour vous. C'est bien ça?

— Tout à fait exact. Votre bonne mémoire vous honore.

— Alors quelles rénovations ils ont faites, ces trois gars?

— Oh, de petites choses. Un peu de peinture, quelques améliorations aux locaux, des petits travaux de plomberie et d'électricité. Ce genre de choses.

— Écoute, mon gros. Ces gars-là auraient même pas su différencier un tournevis d'un marteau. Alors arrête de me raconter tes niaiseries. Qu'est-ce qu'ils faisaient pour toi?

— Je sais absolument pas ce que vous voulez dire, sergent. Je ne les connaissais pas beaucoup et ils faisaient simplement ce que je vous ai dit, des petits travaux d'entretien. Un peu comme des hommes à tout faire, si vous voulez.

Même en ajoutant des rallonges aux grands moyens, la patience de Tony était mise à rude épreuve. Il détestait cet homme et il savait que malgré tout le self control dont il était si fier, la discussion ne pourrait absolument pas se poursuivre ainsi longtemps. Il se tourna donc pour aller verrouiller la porte du bureau. Puis, lentement, il retira son veston qu'il plia amoureusement sur une pile de papiers après avoir méticuleusement enlevé la couche de poussière qui y séjournait depuis plusieurs mois. La discussion allait prendre un nouveau virage.

— Voici où on en est. Je vais parler lentement pour que le seul neurone qui te reste puisse bien comprendre de quoi il est question. Tu vois, on sait que ces trois gars travaillaient pour toi. On sait qu'ils relevaient directement de toi. On sait qu'ils s'occupaient de trouver des terres pour vos petites plantations. On sait qu'ils allaient régulièrement vérifier comment tout ça poussait et qu'ils t'en ramenaient à l'occasion pour vérifier la qualité des graines et des feuilles. On sait qu'ils faisaient de leur mieux pour faire peur aux fermiers dont ils squattaient les terres. Jusque-là, tu me suis ?

L'attitude de Dumas changeait à mesure que l'inspecteur martelait les phrases en s'approchant toujours plus près de lui, jusqu'à lui mettre la main sur la gorge.

— Tu vois, Trou-de-Beigne, on en sait des choses, continua Palomino. On sait aussi que le soir de son assassinat, Verdun t'a téléphoné à trois reprises. Qu'est-ce qu'il voulait te dire ?

— Lâchez-moi. Vous m'étouffez, parvint-il à dire.

— Réponds, continua Tony sans desserrer son étreinte.

— J'me souviens plus.

— Mauvaise réponse, dit Palomino en serrant davantage la gorge de l'autre qui prenait une belle couleur bleue.

— J'peux rien dire. Vous savez pas à qui vous avez à faire. Non seulement ils me tueront, mais ils vous tueront aussi si je parle.

Palomino enleva un peu de pression sur la gorge de Dumas.

— J'peux vivre avec ce risque. Alors, dis-moi à qui on a à faire.

— J'peux rien dire. C'est vrai que ces trois gars-là travaillaient pour moi. Mais j'ai rien à voir avec les meurtres.

L'inspecteur laissa la gorge du gros et s'assit sur le bord du bureau.

— Tu vois Dumas, depuis hier je sais que tu fais passer le mot pour avoir des informations sur ceux qui auraient fait ça. Je sais aussi que des représentants de Pop, ton patron, sont dans le coin et qu'ils veulent aussi savoir. Mais ils ne sont pas les seuls à t'avoir à l'œil. Il y a aussi la mafia qui est dans le coin.

Il avait lancé cette affirmation un peu comme un coup de sonde, pour voir ce qui se produirait. Mais les yeux de morue frite de Dumas ne s'étaient pas allumés.

— Ta seule chance de t'en sortir, continua-t-il, c'est de travailler avec nous pour éviter qu'une nouvelle guerre des gangs ne recommence. C'est ta seule chance.

— Je sais pas grand-chose et si je vous parle, je suis mort.

— Et si tu ne parles pas, t'es aussi un homme mort. Penses-tu qu'ils laissent ton bar sans surveillance ? Ils savent déjà que je suis ici et qu'on discute. De là à penser qu'ils auront des doutes sur ton honnêteté, il n'y a qu'un pas qu'ils vont franchir sans problème.

— Mais je ne sais rien. C'est vrai. J'ai fait passer le mot partout. Personne ne sait de qui il s'agit. C'est peut-être la mafia qui veut revenir dans la région et prendre le contrôle. C'est leur façon d'agir. Vous le savez. Vous êtes Italien, non ?

— Bordel. Tu vois un Italien et tout de suite tu te dis : « Il est dans la pègre. » Est-ce que tous les Québécois aiment la soupe aux pois et le ragoût de pattes ? Non... Réponds pas. De toute façon, ça n'a rien à voir. Tout ce que je te dis, c'est que si tu collabores pas avec nous, t'es un homme fini.

— Mais je sais rien. Rien de rien. J'vous jure.

— J'espère que tu sais que les autres ne seront ni aussi compréhensifs ni aussi gentils quand ils te poseront des questions.

Dumas perdait son air arrogant. Lui aussi connaissait « les autres » dont l'inspecteur parlait. Pendant un instant, Tony crut voir et entendre tourner les rouages du cerveau de l'obèse. Dumas tentait visiblement d'évaluer ce qu'il devait faire. Il était terrifié. Puis, il sembla changer d'idée. Il n'allait pas passer à table avec Palomino. Comprenant cela, Tony lui lança :

— Alors, croupis dans tes fientes, le gros. T'es tout seul maintenant. Ton avenir sera pas long.

Lentement, Palomino remit son veston et se dirigea vers la porte. Juste avant de sortir, il se retourna vers Dumas pour ajouter :

— Et si jamais tu touches encore à Denise, je reviendrai personnellement te voir pour t'expliquer les règles de politesse avec les dames.

* * *

Ève était devant la maison des Barbeau. Leur fille était l'une de celles qui avaient été abusées par Verdun et Auger. Violée et battue sauvagement pendant plusieurs heures avant que les coupables ne la laissent, à moitié nue, dans le fossé sur le bord d'une petite route de l'arrière-pays. Un homme qui souffrait d'insomnie et qui avait décidé de faire une promenade avec son chien, cette nuit-là, l'avait trouvée, gisante et presque morte. Un miracle pour la fillette. Une erreur pour Verdun et Auger puisque la petite avait pu témoigner de ce qui lui était arrivé, ce qui avait contribué à leur arrestation et à leur condamnation. Mais la petite n'avait jamais pu se remettre de ce qu'on lui avait fait. Elle s'était peu à peu réfugiée dans l'oubli et l'autisme. Elle était devenue ce que Bruno Bettelheim, un des plus grands spécialistes de ces névroses, avait appelé une forteresse vide. Elle n'avait plus aucun rapport avec la réalité et la vie. Elle passait des heures sans bouger, sans parler, sans manger. Il fallait tout lui faire faire.

En révisant les notes du dossier, Ève Saint-Jean avait lu que les parents, après deux ans d'efforts soutenus pour tenter de la soigner, avaient dû abandonner et la laisser aller dans un centre spécialisé. Eux non plus ne s'en sont probablement jamais remis, songea Ève.

La maison était vieille mais propre. Elle faisait partie des demeures qui avaient été reconstruites après le gros incendie de Rimouski dans les années 50. Elle avait ensuite été conservée comme un souvenir de ce drame qu'avait connu la ville. Puis, elle était restée inchangée après cet autre drame plus privé, mais plus profond, qu'avait subi la famille. La maison était donc vieille et propre, mais pas du tout chaleureuse. Même habitée, elle semblait déserte. Un suaire de chagrin et de souvenirs semblait l'envelopper.

Ève s'approcha de la porte avec cette impression d'être à l'entrée d'un caveau funéraire. Peut-être, se disait-elle, que le fait que la petite ait survécu a eu encore plus de répercussions que si elle était morte. Qui sait? Elle appuya sur la sonnette.

Il fallut quelques instants avant qu'un mouvement à l'intérieur ne vienne confirmer que la maison n'était pas abandonnée. Une femme, au visage anguleux, vêtue d'un strict tailleur, vint ouvrir. Elle devait avoir près de cinquante ans mais aurait pu être plus jeune car la tristesse qui se lisait parfaitement sur son visage l'avait vieillie. Elle avait dû être belle. Mais c'était il y a bien longtemps. À une autre époque et dans un autre monde. Pour le moment, elle semblait surtout austère et froide comme une nuit d'automne.

— Oui, dit-elle.

— Bonjour madame. Je suis la détective Ève Saint-Jean de la Sûreté du Québec. Nous enquêtons sur une série de meurtres qui ont été perpétrés dans la région et j'aimerais vous poser quelques questions.

— En quoi est-ce que ça me concerne?

— En rien, probablement, mais je voudrais vérifier certains détails avec vous.

La femme s'écarta de la porte pour laisser entrer la policière.

— J'ai souvent eu à faire avec vos confrères et je dois avouer que je n'en garde pas le meilleur souvenir. Alors si vous pouviez aller directement aux raisons de votre visite, je l'apprécierais, dit madame Barbeau après avoir fermé la porte et en précédant Ève au salon.

— Je serai aussi brève que possible, dit Ève en prenant un siège.

Elle s'offrit toutefois quelques instants pour jeter un coup d'œil à la pièce. C'était un salon tout ce qu'il y a de plus conventionnel. Quelques fauteuils, un téléviseur, quelques livres sur une étagère et un piano qui occupait une place de choix. Aucune photo.

— Vous jouez du piano ? demanda-t-elle pour tenter de casser la glace.

— J'en ai joué autrefois. J'avais commencé à montrer à Sophie. Elle avait beaucoup de talent vous savez. Je suis certaine qu'elle aurait pu être une grande pianiste, dit-elle. Elle aurait pu faire tout ce qu'elle voulait, ajouta-t-elle plus bas… mais il y a des années maintenant que je n'y ai pas touché.

— Est-ce que votre mari est ici aujourd'hui ? Peut-être est-il parti travailler ?

— Nous ne vivons plus ensemble…

Louise Barbeau laissa le silence s'installer pendant un moment, comme si elle évaluait si elle devait en dire plus. Elle dut prendre la décision qu'il valait mieux parler, car elle ajouta :

— Vous savez, les deux années qui ont suivi… vous savez quoi… ces deux années ont été terribles. Pas seulement pour la petite, mais aussi pour notre couple. Jacques, mon mari, se reprochait toujours de ne pas avoir été la chercher à l'école cette journée-là. Comme s'il avait pu savoir ce qui allait se passer. Le remords le grugeait. Comme un cancer. Il se refermait en même temps que Sophie s'enterrait dans son monde. Ce qu'il ne pouvait se reprocher à lui, il me le reprochait à moi.

La vie était devenue... comment dire... ce n'était plus une vie. Nous n'étions plus une famille. Nous n'étions plus un couple. Nous n'étions que trois individus dans la même maison. Et Sophie était celle qui était la plus éloignée de tout. Avez-vous déjà entendu parler de l'autisme, madame?

— Oui, je connais. J'ai fait un baccalauréat en psychologie. Je sais que c'est excessivement difficile pour la personne qui en est atteinte. Et que c'est probablement encore plus difficile pour les personnes qui vivent avec des autistes.

— Il y a toutes sortes de niveaux dans cette maladie. Certains autistes peuvent presque vivre normalement dans un milieu familial bien structuré. Mais dans les cas les plus profonds, il n'y a plus rien... Rien du tout... Or, Sophie s'était réfugiée tellement loin à l'intérieur d'elle-même que plus personne ne pouvait lui faire de mal. Pas plus qu'elle ne pouvait ressentir l'amour que nous avions pour elle. Elle était devenue un château de verre. À la fois inaccessible et pourtant si fragile.

Ses yeux, malgré les années, s'étaient remplis d'eau. Ça lui faisait aussi mal qu'au premier jour. Elle revoyait tous les événements. Les larmes étaient retenues par la seule force de sa volonté. Ève savait que Louise Barbeau revoyait sa fille telle qu'elle était avant d'être atteinte au plus profond de son être. Elle la revoyait s'amuser, rire, pleurer, s'enthousiasmer pour un petit chat ou un papillon. Elle la revoyait pratiquer son piano en lui faisant de timides sourires pour se faire encourager. Elle se voyait avec la petite et son père lors de mémorables guerres de chatouilles ou de taies d'oreillers. Elle la revoyait courir avec ses amis le long du fleuve pendant les longues marches que la famille y faisait régulièrement. Elle la revoyait dans les moments de joie ou de tristesse qui jalonnent la vie des enfants. Elle revoyait ses yeux pleins de vie et de curiosité, comme des diamants, quand elle ouvrait ses cadeaux de Noël. Elle la revoyait quand elle dormait, avec cet air de bonheur paisible qu'on peut lire sur le visage des enfants heureux. Ève avait l'impression de voir Sophie comme sa mère la voyait. Elle était bouleversée. Comment la vie pouvait-elle chavirer soudainement? Y a-t-il une justice dans tout ça?

— Je suis désolée de vous faire revivre ces tristes moments, dit Ève.

— Vous savez, au fil des ans on croit qu'on devient insensible. Qu'on a réussi à mettre ça derrière nous. Mais ça n'arrive pas. Ça n'arrive jamais, dit-elle en s'asséchant les yeux… mais je suis certaine que nous sommes loin de la raison de votre visite ici. Tout ça c'est du passé. Alors, en quoi puis-je vous aider.

— Malheureusement, nous ne sommes pas si loin du sujet.

Elle sortit les photos, alors qu'ils étaient encore vivants, des trois hommes sauvagement massacrés. Elle attendit un moment avant de les montrer à madame Barbeau, comme si Ève se demandait si tout ça en valait encore le coup. Était-il nécessaire de lui faire revivre certains des moments les plus pénibles de toute cette histoire? C'était impossible d'y échapper, convint-elle en tendant les photos.

— Reconnaissez-vous quelqu'un?

Le visage de Louise Barbeau se décomposa soudainement.

— Vous ne me posez pas la question sérieusement? Jamais je ne pourrai oublier ces figures de déments, dit-elle en regardant les photos de Verdun et d'Auger.

La colère flamboyait dans ses yeux. Non, pas la colère, se dit Ève. La haine. Une haine froide et tenace que rien ne viendrait jamais altérer, même si elle devait vivre des centaines d'années.

— Et le troisième individu? Ça vous dit quelque chose?

— Rien. Je ne le connais pas. Il n'était pas l'un des monstres qui ont abusé de ma fille. Pourquoi me montrez-vous ces photos après tout ce temps?

— Ces trois hommes sont morts. Ce sont ceux qui ont été découverts il y a deux nuits.

— Ceux dont tous les journaux parlent? dit Louise Barbeau. Ils sont morts?

— On ne peut plus morts.

— J'espère qu'ils ont souffert, cracha-t-elle. J'espère qu'on leur a fait payer tout le mal qu'ils ont fait. On devrait donner des médailles à ceux qui ont fait ça.

— Vous n'avez pas une idée, justement, de ceux qui pourraient avoir commis ces meurtres? demanda la policière.

— S'ils m'avaient contactée, j'aurais été avec eux. Et j'aurais voulu les tuer de ma propre main... Pour ma fille et pour ma famille.

***

Le soleil brillait sur le fleuve en cette fin d'après-midi. Alex se promenait comme des centaines d'autres pour profiter de la douceur du temps. La sonnerie de son cellulaire marqua la fin de ces quelques moments de paix. Les premiers depuis... depuis trop longtemps.

— Oui!

Quelques secondes s'écoulèrent pendant que l'interlocuteur passait son message.

— Je sais que les policiers sont à l'affût. On savait que ça se produirait. Tout fonctionne comme prévu...

Puis après une autre pause, Alex continua.

— Rien n'est changé. Mais on devance le plan. Demain... à l'endroit convenu. Préviens les autres. Plus question de reculer.

Chapitre 7

È ve Saint-Jean était sortie de chez madame Barbeau
avec un arrière-goût bizarre. Elle comprenait parfaitement la haine qui habitait cette femme. Son couple et
sa vie avaient été détruits en même temps que la vie
avait été volée à sa fille. Et pourtant quelque chose tracassait Ève. Elle n'avait pas senti la surprise qu'elle
s'attendait à trouver chez cette femme. Elle y avait vu la
haine, bien entendu, mais pas d'étonnement devant le
décès soudain des tortionnaires de son enfant. Avait-elle
deviné, à partir des bulletins d'informations, qu'il pouvait s'agir d'eux... Peu probable. Et pourtant...

Elle avait une autre visite à faire avant de retourner au poste de police. Et encore il ne s'agissait pas des
parents mais plutôt d'une voisine du petit Jean-François
Hugo, le garçonnet qui avait succombé à ses mauvais
traitements. De ne pas avoir trouvé, dans la région, plus
de familles des jeunes qui avaient été abusés ne l'avait
pas intriguée. Il arrive souvent que ces personnes désirent recommencer à zéro. Ailleurs. Se refaire une vie.
Loin de tout ce qui peut leur rappeler cette tragédie.
Dans certains cas, les familles changeaient aussi de nom
en déménageant. Particulièrement quand l'affaire avait
été largement médiatisée. Ce qui avait certainement été
le cas ici. Il serait assurément difficile de retrouver les
autres personnes impliquées dans cette vieille affaire.

Bref, il y avait cette voisine. Elle avait témoigné
lors du procès. D'après le dossier, elle avait été très

proche du petit Jean-François. Presque depuis sa nais-
sance. Sandra Michaud résidait toujours à Rimouski.
Elle possédait une petite maison sur la rue Rouleau, près
de la voie ferrée. Ève espérait que madame Michaud
serait chez elle à cette heure de la journée. Il y avait peu
de renseignements sur cette femme. À quarante-trois
ans, madame Michaud avait vécu plusieurs années à
Montréal avant de revenir, avec son mari, dans la région.
Aucun casier judiciaire, pas même une contravention.

La maison de madame Michaud était très ordinaire, du genre de celles qu'on faisait en série il y a
quelques décennies. Il valait mieux avoir l'adresse, car la
description n'aurait certainement pas suffit. La femme
qui vint répondre était encore jolie. Plus que jolie. Elle
avait conservé une beauté évidente. Mais cet éclat n'avait
aucun panache. Grande et mince, il émanait d'elle une
force de caractère indéniable. Elle ne se maquillait pas
mais son teint était bronzé, comme celui des gens qui
passent beaucoup de temps à l'extérieur à faire du sport
ou à prendre de longues marches. Ses traits doux étaient
éclipsés par ses yeux gris acier qui lui donnaient un air
dur, presque cruel. Ève Saint-Jean ne fut donc pas du
tout surprise de l'entendre dire sèchement :

— Qu'est-ce que vous voulez ?

— Ève Saint-Jean, de la Sûreté du Québec. Nous
enquêtons sur des meurtres survenus dans la région.

— Ceux de l'autre nuit ?

— Exactement, et je voudrais vous poser quelques
questions, si vous le permettez. Je peux entrer ?

— Pas du tout. J'ai rien à voir ni avec ces meurtres, ni avec la police.

— Ça ne prendra que quelques secondes, ajouta
Ève.

— Ça ne prendra pas même une seconde. Je n'ai
même pas ça à vous consacrer.

— Je voudrais seulement vous montrer quelques
photos.

— J'veux pas les voir.

— Je crois que vous connaissez ceux qui ont été tués. Vous les avez déjà rencontrés au procès pour le meurtre du petit Hugo.

Sandra Michaud encaissa le coup. Pendant un instant ses yeux se sont allumés, comme si elle revoyait le passé.

— Dans ce cas, j'ai encore moins de raisons de vous parler. Laissez-moi.

— Je peux aller chercher un mandat qui vous obligera à me recevoir.

— Aller chercher ce que vous voulez. J'ai rien à voir avec vous. La dernière fois que la police est entrée dans ma vie, j'ai été brisée. Anéantie. Vous savez pas ce que c'est. La seule vue d'un policier me fait revivre tout ce que je tente désespérément d'oublier. Alors si vous croyez pouvoir vous pointer chez moi pour me poser des questions alors que je sais rien... Vous ne vous demandez même pas si ça peut nous bouleverser. Si ça peut faire remonter des souvenirs qu'on tente d'oublier depuis des années. Non ! Je ne vous dois absolument rien et je ne veux pas vous parler.

Son visage et son corps sont encore parfaits, se dit Ève Saint-Jean, mais il subsiste une cicatrice profonde dans son âme. Une blessure qui ne se fermera peut-être jamais. Il valait mieux tenter une autre approche.

— Vous êtes mariée. Peut-être votre mari pourra-t-il répondre à mes questions ? tenta la policière.

Sandra Michaud se mit à rire. D'un rire qui sonnait à la fois la tristesse et l'hystérie.

— Questionner mon mari ? C'est ça que vous me demandez ?

— Ça ne prendra que quelques secondes. Je suis consciente que vous ne voulez pas parler aux policiers, mais peut-être votre mari pourra-t-il le faire ?

— Bonne chance. Rien ne vous en empêche. Mais il n'est pas ici. Vous le trouverez au cimetière... Il s'est suicidé.

Sur quoi, elle ferma la porte au nez d'Ève Saint-Jean qui demeura quelques instants immobile. Qu'est-ce que ça voulait dire cette histoire ?

***

Big entra dans le bar et ne prit pas la peine de jeter un œil à la serveuse ou au reste du personnel. Quelques clients prenaient déjà une bière, indifférents à la danse qu'effectuait une des filles, qui semblait d'ailleurs s'ennuyer autant que ceux qui ne la regardaient pas. Big entra dans le bureau de Dumas qui était au téléphone.

— Raccroche, lui dit Big.

— OK, j'te téléphone plus tard, conclut immédiatement Dumas en déposant le combiné. Salut Big. Je fais le tour de tout le monde pour avoir des informations.

— Et ? dit Big impassible.

— Rien pour le moment. Personne ne semble savoir d'où ça peut venir. Mais il semble que des gars de Moresmo sont en ville. Ils veulent aussi des renseignements.

— T'occupe pas de ça et trouve-moi quelque chose le plus vite possible.

— Les remplaçants sont arrivés ce matin, reprit Dumas. Je les ai envoyés faire le tour des champs avec un de mes gars, pour qu'ils sachent de quoi il est question.

— Ils savent, répondit Big. Donne-moi tes livres. Je veux regarder ça tranquillement.

— Tout est en ordre. Tu vas voir. Rien ne manque. Tu me connais. Ça fait des années que je suis avec Pop. Toujours régulier comme l'horloge. Tu vas voir.

Mais Dumas transpirait la peur... de tout son corps pourtant énorme, ce qui n'améliorait pas l'odeur qui régnait dans le bureau.

— Oui, c'est ça. Alors tu me les donnes ?

Trou-de-Beigne lui remit un cartable et un CD.

— J'espère pour toi que tout est en ordre, laissa tomber Big. Et je veux que tu me trouves des renseignements pour demain. Sinon...

Il sortit de la pièce. Décidément, la semaine était très mauvaise pour Dumas, d'autant plus qu'il ne pouvait même plus se défouler sur Denise, sans quoi, l'autre, le flic, viendrait aussi se défouler. Saleté de semaine. Y a pas à dire, songea-t-il.

***

Vince Capelli détestait probablement cette région autant que Big. Pour lui, être loin des grands centres urbains c'était être coupé de la vie. De la vraie vie. Ici, il n'y avait pas toutes ces femmes somptueuses, ces bars réservés à l'élite, ces voitures luxueuses avec chauffeur. Il n'y avait même pas de casino. Pas parce qu'il jouait. Il avait appris depuis longtemps à se tenir loin des machines et des cartes. Mais il adorait l'atmosphère des salles de jeux. La frénésie des joueurs. La classe des serveurs. Aussitôt qu'il en avait la chance, il partait pour Atlantic City ou Las Vegas. Les grandes villes. Il n'y avait que ça de vrai. À Montréal, il était parfaitement à l'aise. La ville était assez grande pour y trouver tout ce qu'il considérait être les éléments essentiels de son bien-être. Et quand la fantaisie ou le spleen le prenait, il partait pour New York. Le paradis. Une fin de semaine dans la Grosse Pomme et il pouvait revenir faire son travail avec tout le zèle et la détermination dont il était capable. Et il était capable de beaucoup.

Outre le fait qu'il détestait le coin, il y avait d'autres similitudes entre lui et Big. Vince était l'homme de confiance de Moresmo. Quand ça allait mal, c'est lui qu'on appelait pour régler les problèmes et aplanir les difficultés. Et Vince savait comment y parvenir. Généralement par des discussions qui étaient très convaincantes. Parfois, il pouvait aller plus loin que les paroles, ce qui n'était jamais une bonne idée pour celui qui n'avait pas compris. Il avait également une réputation qu'il n'était pas souhaitable de vérifier.

Il se trouvait présentement loin de tout ce qu'il aimait, à contempler le fleuve. Que de flotte, se disait-il.

Et, si j'ai bien compris, y a même pas moyen de se baigner ici. L'eau est trop froide. Quel foutu intérêt quelqu'un peut-il avoir à vivre ici ? La mer c'est bien si tu es dans un paquebot de luxe dans les Caraïbes ou sur la Méditerranée. Mais ici...

Il n'avait pas le choix. Son patron était, pour le moment, sur le point de déclancher une guerre à finir avec les motards. Il fallait le calmer. Il fallait comprendre pourquoi le meurtre de trois petits imbéciles pouvait avoir autant d'impact. Bon. Il aurait été mieux qu'on s'abstienne de tuer le cheval préféré de Moresmo. Mais c'était pas la fin du monde, pensait-il.

Capelli n'avait pas pour les chevaux l'amour que son patron leur vouait. En particulier pour le cheval qui avait été tué. Pourri sur un champ de course et, Vince en était profondément certain, il n'aurait même pas été bon en steak. Alors faire une guerre pour un canasson, il fallait tenter d'éviter. À tout prix.

Il entendit quelqu'un s'approcher derrière lui mais ne se retourna pas. Il se savait en toute sécurité. Ses hommes surveillaient les alentours et il connaissait très bien celui qui venait. Quand les pas s'arrêtèrent, sans se retourner, Vince dit :

— Alors Ronald, tu aimes toujours cette région ?

Ronald Martineau était un sportif. Tout dans son apparence le laissait voir. Depuis sa tenue – jogging Reebok, espadrilles Nike et t-shirt de l'Océanic de Rimouski, le club de hockey junior de la région – jusqu'à son allure générale. Il avait toujours une casquette vissée sur la tête, particulièrement depuis que ses cheveux avaient commencé à se faire plus rares. Mais c'est surtout son visage qui donnait cette impression juvénile. Malgré ses quarante-ans, il avait l'air d'un adolescent. Ses yeux bleus et clairs rayonnaient.

Pendant que Vince se retournait enfin pour le regarder et pour lui serrer la main, il sut pourquoi il aimait ce type depuis qu'il le connaissait. Ils avaient toujours vécu dans des mondes différents, même s'ils avaient été élevés dans le même quartier. Sur la même rue en fait. Ronald était franc et loyal. C'est lui qui l'avait défendu quand il s'était retrouvé seul, face à une bande concurrente. Vince n'avait alors que dix ans et était assez maigrichon. Ronald, de deux ans son aîné et déjà beaucoup plus costaud, s'était interposé. Même à cet âge, il n'acceptait pas que l'on abuse de la force et qu'on ne joue pas fair play. Il lui avait fallu quelques semaines pour se remettre de la raclée qu'il avait reçue. Depuis ce jour, Vince et Ronald étaient devenus amis. Martineau était un homme droit, qui jouait toujours en équipe et respectait les règles. Vince appréciait ces qualités.

— Je l'adore, tu veux dire, répondit Ronald pour répondre à la question de son ami. Je trouve tout ce que j'aime ici. Les grands espaces, la montagne, la mer, les activités sportives. Qu'est-ce que tu veux de plus?

— T'es quand même loin de la ville et de toutes les merveilles qu'on y trouve.

— Ça, c'est bon pour toi. La grande vie, c'est toujours ce à quoi tu as aspiré. Moi, je suis beaucoup plus simple. Les bons amis, une bonne bière en regardant un match de hockey ou de football. Ça me suffit…

Ronald s'approcha de son ami pour contempler le fleuve à son tour.

— Faut pas être sorcier pour savoir pourquoi tu es dans le coin, dit-il.

— Alors, tu sais quelque chose qui peut m'intéresser?

— Tu sais, dans un mois ça fera dix ans que je suis journaliste à Rimouski. Ça me convient parfaitement. Je connais tout le monde, même ceux qui sont moins fréquentables. Si tu veux des renseignements sur le triple meurtre, j'ai rien à te dire. Pas que je le veuille pas. Personne ne sait rien. D'ailleurs, avant de me téléphoner, je suis certain que tu as déjà fait le tour de tous tes contacts.

— C'est vrai, dit Vince en souriant. C'est à se demander s'il s'agit vraiment d'une histoire de drogue. À moins qu'un nouveau groupe complètement inconnu n'ait décidé d'entrer dans la partie. Ce qui m'étonnerait. Comme je sais qu'on est pas impliqués, je penche plutôt pour un coup fourré des Black Pistoleros.

— Peut-être, répondit Ronald, songeur. Dans ce cas, il faut admettre qu'ils ont bien gardé le secret.

— Tu sais Ronald, ça va mal. Le vieux Pop a décidé de donner des avertissements à tout le monde. Y compris à mon patron qui ne le prend pas du tout. Si on n'arrive pas à savoir qui est derrière cette histoire de territoire, l'avenir de cette région pourrait être un peu troublé.

— Qu'est-ce que tu veux que j'y fasse ? C'est vos problèmes. Tu sais parfaitement que je suis pas de ton monde, que j'en ai jamais été et que j'en serai jamais. Je ne peux pas te renseigner. Depuis hier, tout le monde pose des questions. Tout le monde est nerveux. Je pense que tu as raison. Ça pourrait mal tourner.

— Tu peux pas me dire au moins à quel endroit je devrais me rendre pour avoir des informations ?

— Tu connais le milieu bien mieux que moi, même si tu n'es jamais venu ici. Mais si j'étais à ta place, je m'arrangerais pour avoir une conversation avec le gros Dumas. Après tout, c'était ses gars, d'après ce qu'on dit. Et il y a des rumeurs qui laissent entendre qu'il n'est pas entièrement propre avec ses patrons. Qui sait ? ajouta Ronald en regardant son ami comme s'il cherchait à deviner ses pensées.

Vince était bien placé pour savoir qu'effectivement le tenancier du bar ne respectait pas toutes les règles. Mais il n'allait certainement pas en parler à Martineau.

— À part ça, j'peux juste te dire que les deux policiers de la SQ qui travaillent sur l'affaire ont une excellente réputation. Je les ai pas encore rencontrés, mais il devrait y avoir une conférence de presse très bientôt pour faire le point sur la situation. Tu sais qu'on est pas habitués à ce genre de crime. Rimouski, c'est une ville plutôt calme et sympathique. Rien à voir avec le bordel de Montréal ou de Toronto.

— Merci, vieux. Si tu apprends quelque chose, tu sais comment me contacter, conclut Vince.

Ronald resta à regarder la mer pendant que Vince s'éloignait. Quand on voit la beauté du fleuve, on sait qu'on ne fait que passer ici. L'homme n'est qu'un grain de poussière. Longtemps après notre disparition, les vagues s'acharneront encore à éroder le rivage. Jusqu'à ce qu'elles gagnent. Et toutes ces niaiseries seront oubliées depuis très très longtemps. Entre-temps, il y avait certainement de quoi être inquiet.

***

Trou-de-Beigne s'était enfin décidé à sortir de son bureau. Il lui arrivait de plus en plus rarement d'aller chez lui. Il avait installé tout ce qu'il lui fallait dans le bar. Mais rien ne marchait plus depuis que ses trois gars avaient été tués. Son petit commerce parallèle allait certainement être découvert. Pourquoi, se disait-il, ai-je voulu en avoir encore plus ? Les gars avec qui je travaille n'ont absolument aucun scrupule ni aucun sens de l'humour. Tout ça pour un peu plus d'argent dont je ne pourrai plus profiter maintenant.

La soirée était très avancée quand il gara sa camionnette près de son condo. Il jeta un coup d'œil vers le fleuve. Il aimait aussi ce coin de pays. Il pouvait y vivre confortablement. Si seulement il avait pu se contenter de faire sa petite affaire. Tranquillement. Mais… à quoi bon penser à ce qui aurait pu être ? Il fallait plutôt penser à se sauver. Le plus vite possible. Et avec le plus d'argent possible. Heureusement qu'il en avait planqué à quelques endroits. Juste au cas.

Dumas regarda autour. Tout semblait paisible. C'était une très belle soirée. Il sortit de la voiture et s'approcha de la maison.

Soudain, il sentit, plus qu'il ne vit, quelque chose bouger tout à côté. Il se retourna aussi vite que son gros corps le lui permettait pour se trouver face à un revolver.

— Salut Trou-de-beigne.

Dumas reconnu immédiatement celui qui se cachait dans l'ombre.

— Merde Capelli. Fais jamais ça.

— Ça fait un petit moment que tu nous as pas donné de nouvelles. Quoi de neuf ? lui dit Vince, très calme.

— Tu peux pas rester ici, dit Dumas. Si on nous voit ensemble ça va aller très mal.

— T'étais pas aussi pressé de me voir partir quand tu venais chercher ton argent.

— Tout a changé. J'ai trois gars qui ont été tués. Depuis, y a rien qui fonctionne. Big est à Rimouski. C'est certain qu'il va savoir que j'ai fait quelques écarts. Et s'il apprend que c'est avec toi... Il faut que je parte.

— Pas juste avec moi. On sait très bien que tu vends aussi aux Pistoleros. Tu sais, le gros, manger à tous les râteliers c'est mauvais pour la santé. C'est le genre d'obésité qui est presque toujours fatale. Tes patrons risquent de pas aimer. Moi non plus d'ailleurs.

— Tout le monde veut savoir qui a fait ça. Mais j'en sais rien ! Sinon que c'est pas moi.

— Et pour notre petite entente...

— J'peux rien faire. J'vais te rembourser. Promis. Aussitôt que je vais pouvoir.

— On veut pas de remboursement. On veut la marchandise. Livraison dans deux jours, comme convenu. Et pas d'histoires. Dis-toi bien que j'ai toujours quelqu'un qui te suit. Et pour être certain que t'oublieras pas le message, je vais te laisser quelques minutes avec mes amis.

— Non, pas ça. S'il te plaît Vince. Tu sais que je suis régulier.

— Oui. Je vais d'ailleurs en toucher un mot à Pop, pour savoir s'il est d'accord avec toi.

Pendant que Vince s'éloignait, trois de ses hommes prirent la relève.

— Juste un avertissement les gars. Il faut pas le tuer. On en a encore besoin, leur lança-t-il en entrant dans sa voiture. Et ne touchez pas son visage. Rien d'apparent.

***

Tony avait retrouvé Ève au bar de l'hôtel. Il voyait très bien qu'elle était enragée et bouleversée.

— Tu te rends compte, dit-elle, que ces gens-là n'oublieront jamais le mal qu'on leur a fait. Qu'il leur est impossible de vivre normalement, même après plusieurs années.

— C'est un peu normal, tenta de la calmer Tony.

— Comment ça, c'est normal ? Comment tu peux rester aussi distant et froid, lui cracha-t-elle. Nous, on regarde ça de loin, c'est ça ? On est pas impliqués. C'est ça ? On est des professionnels. Le drame que les gens vivent, ça nous coule sur le dos comme de l'eau sur celui d'une poule, lui lança-t-elle en le regardant droit dans les yeux.

— D'un canard, la reprit-il.

— Comment d'un canard ?

— Sur le dos d'un canard, pas d'une poule.

— Tu me niaises. Je te parle du drame des gens pis tu me réponds linguistique.

— Écoute Ève. Je sais que parfois certaines enquêtes sont plus difficiles que d'autres. Qu'il y a des moments pendant lesquels on se sent directement impliqué. Ce qui est normal. Mais on a un travail à faire. Si on veut aider les gens, il faut trouver des réponses. Être capable de voir plus loin.

Saint-Jean savait que son collègue avait raison. Elle devait éviter de se sentir trop concernée. Car alors on devenait inefficace. C'est comme les médecins et les infirmières qui doivent intervenir immédiatement sans se laisser émouvoir, même s'il s'agit d'un enfant ensanglanté et mourant, se dit-elle.

— Mais tu comprends, je sais que ça ne concerne

pas directement l'enquête, mais tu te rends compte de ce que ces trois débiles ont fait et des répercussions que tout ça a eu sur la vie de plusieurs familles. Personne ne devrait vivre avec autant de chagrin. Personne ne mérite ça. Les enfants ne devraient jamais mourir avant leurs parents…

— On sait pas encore s'il y a un lien avec l'enquête, lui rappela Palomino. Mais avant que tu me racontes en détail, laisse moi t'expliquer ce que j'ai de mon côté, ça va te changer les idées.

Il la mit au courant du vrai nom de celui qui se fait appeler Marc Trudeau. Il lui apprit qu'il s'agissait de Big, le bras droit du chef de la plus importante bande de motards du pays. S'il était à Rimouski, c'était qu'il y avait des problèmes et que d'autres allaient aussi en avoir. Il lui expliqua également que selon certaines informations, on aurait fait des menaces au patron de la mafia. Ce qui ne présageait rien de bon puisqu'un de ses hommes de main était aussi à Rimouski. Tony expliqua qu'il savait parfaitement de qui il s'agissait. Il avait beau crier à tout le monde que les Italiens ne sont pas tous dans la pègre, il n'en demeurait pas moins que les Italiens formaient une communauté où tout se savait et où pratiquement tout le monde se connaissait. En tout cas, tous ceux qui avaient de l'influence. Or, lui il en avait… et Vince Capelli aussi.

Il lui raconta enfin son autre rencontre avec Dumas qui n'avait pas donné grand-chose finalement. « J'avais seulement envie d'aller prendre une douche après lui avoir touché », admit-il. Tony lui dit qu'il se sentait souillé d'avoir seulement mis ses mains sur sa gorge. Il prit un air si dégoûté qu'Ève se mit à rire. Elle l'imaginait sans problème.

— Je suis certaine, continua-t-elle, que si tu n'avais pas porté du Armani ou du Dior, tu aurais jeté tous tes vêtements.

— Je ne porte pas de Dior. D'abord. Tu devrais au moins savoir ça depuis le temps qu'on travaille ensemble. Et les couturiers italiens sont les meilleurs.

Puis, souriant franchement, il avoua que l'idée lui avait, malgré tout, traversé l'esprit. Cet interlude avait fait du bien à Saint-Jean. Il lui avait permis de revenir un peu sur terre.

Ève lui expliqua les rencontres de la journée. Comment les femmes qu'elle avait vues étaient toujours aussi pleines de haine pour ceux qui avaient fait du mal à leurs enfants. Il était impossible d'établir un lien entre les meurtres et ces femmes au-dessus de tout soupçon, mais Ève sentait qu'elles auraient donné n'importe quoi pour tenir l'arme qui avait été utilisée pour abattre ceux qui avaient abusé des petits. Il y avait probablement d'autres familles dans la région qui faisaient partie de ce triste cercle, mais pour le moment, elle n'avait pu les retracer. Ève était certaine que si elle les trouvait, elle y verrait la même rancœur. L'inspecteur Saint-Jean n'avait pas l'ombre d'une preuve, juste un malaise dont elle ne pouvait se débarrasser.

Ils prirent un dernier verre, presque en silence. Tony connaissait trop bien sa coéquipière. Il avait beau la trouver chiante quand elle faisait des blagues (de mauvais goût, se disait-il) sur ses tenues, elle était quand même la meilleure partenaire qu'il avait eue. Il lui faisait entièrement confiance. Il l'avait trop souvent vu avoir raison pour ne pas tenir compte de ses intuitions. Et, dans cette affaire, il y avait beaucoup de pièces qui n'avaient pas leur place dans le puzzle. Mais il fallait aussi comprendre que les gestes posés parfois par les trafiquants de drogue étaient passablement déroutants. Il se souvenait avoir lu des dossiers sur des représailles faites par le cartel de Medellin en Colombie. Ça lui avait donné des frissons dans le dos. On ne sait jamais jusqu'où certains types peuvent aller.

Il sentait l'urgence de trouver des réponses pour être capable de s'interposer quand les différentes factions en viendraient aux mains. Pour le moment, sauf quelques coups de semonce, tout le monde se jaugeait. Mais on n'en resterait pas là très longtemps. Il les

connaissait. Il savait que le seul langage qu'ils comprenaient c'est celui de la violence. Et si rien ne débloquait,
la violence parlerait. Encore. Comme il y a quelques
années.

— Allez, viens. Je vais te reconduire à ta chambre, et demain on reprendra toute l'histoire depuis le
début. On trouvera ce qui nous a échappé. En attendant,
il faut dormir. Te détendre.

Elle leva les yeux de son verre. Même sans parler,
juste la présence de Tony l'avait revigorée. Elle ne savait
pas vers quoi elle allait, mais elle savait qu'il fallait
creuser la question de l'abus des enfants. Elle le regarda.

— D'accord, beau mec. J'te suis… Tu sais, je suis
certaine que tu dois ressembler à Corleone quand il était
jeune.

— Corleone ? Dans Le Parrain ?

— Ben oui… Mais je sais pas si lui portait des
souliers de course… Ça fait pas assez « classe », ajouta-t-
elle en souriant franchement.

— Tu sais que tu m'énerves !

Chapitre 8

Ève sortait de son bain. L'eau, presque bouillante, lui avait fait du bien. Une serviette entourant ses cheveux et une autre lui couvrant le corps, elle ouvrit la radio pour écouter un peu de musique et s'assit sur le lit. La soirée était belle, douce et sans nuage mais elle ne pouvait pas dormir. Elle avait trouvé la journée pénible. Sans comprendre vraiment pourquoi cette histoire venait la chercher aussi intensément. Jamais elle n'avait vécu quelque chose qui ressemble de près ou de loin à ce qui était arrivé à ces enfants ou à ce qu'avaient dû endurer leurs parents. Elle ne connaissait personne dans son entourage qui ne soit passé par là. Alors pourquoi être secouée de tout son être? Être ébranlée aussi profondément?

L'introspection devait se faire doucement. Ève Saint-Jean avait appris les méthodes pour y arriver. Elle les utilisait d'ailleurs assez fréquemment au cours de certaines enquêtes, pour se recentrer. Se retrouver avec assez de calme et de sérénité pour poursuivre. Elle y était toujours parvenue facilement. Pourquoi aurait-elle des ratés cette fois?

Elle prit une gorgée de vin, se coucha et ferma les yeux. Les lumières tamisées et la musique douce contribuèrent à relaxer ses muscles. La détente devait commencer par le corps pour atteindre l'esprit. Pour permettre d'y voir clair.

Les images des derniers jours défilèrent dans sa tête. L'entrepôt, les corps, les policiers qui s'affairent, les réunions, l'autopsie, les dossiers, les motards, la mafia… et les visites de la journée. Sandra Michaud qui détestait les policiers. Elle détestait en fait tout ce qui pouvait avoir un lien avec l'enfer que le petit Jean-François avait vécu et de ce qu'elle-même avait enduré par la suite. Puis, les yeux de Louise Barbeau prirent toute la place. Louise Barbeau qui était passée au travers des épreuves, qui avait résisté, ou survécu, plus exactement.

Ève revoyait ces yeux. Remplis de larmes contenues par la fierté et la haine. Alors les yeux de Louise Barbeau se transformèrent pour se confondre avec ceux de la mère d'Ève. Les deux femmes ne se ressemblaient pas, mais on voyait la même tristesse profonde. Comme si, dans le cas de sa mère, un drame avait aussi laissé une empreinte indélébile qui ne montait que très occasionnellement à la surface. Ce désespoir qui régnait dans les yeux de Louise Barbeau, Ève l'avait aussi vu dans les yeux de sa mère. Il y avait des années. Quand son père était mort lors de circonstances étonnantes. Voilà le lien qui la bouleversait. Qui altérait peut-être même son jugement.

Dans cette étroite zone qui sépare le sommeil de l'état de veille, elle entendit cogner doucement à la porte. Aussitôt en alerte, elle se leva.

— Qui est là ?

— C'est moi, Serge.

Elle ouvrit et attira le docteur dans la chambre et l'étreignit du plus fort qu'elle le put, comme si elle cherchait un réconfort impossible à trouver seule. Comme si elle cherchait à se protéger. L'Écuyer l'enserra étroitement, lui jouant dans les cheveux et tentant de dire les mots qui apaisent.

— Qu'est-ce qui ne va pas ? lui demanda-t-il doucement.

— Rien. Tiens-moi fort. C'est tout.

***

Tony savait qu'il n'arriverait pas à dormir. Aussi ramassa-t-il ses affaires pour aller au centre d'entraînement. Mais en route, il fit un détour par le poste de police. Il venait de prendre une décision.

Son arrivée dans un poste presque vide à cette heure-là ne passa pas inaperçue. Le policier de service fut même un peu surpris de le voir arriver.

— Bonsoir sergent. Vous n'êtes qu'un petit douze heures en avance sur la réunion, lui dit-il.

— Intéressante remarque, lui répondit-il. J'ai besoin d'un bureau. Puis-je prendre celui du capitaine pour quelques instants?

— Absolument, lui dit-il en indiquant la porte du bureau en question.

Palomino se dirigea directement vers le téléphone. Il souhaitait parler à son supérieur à Montréal. Malgré l'heure, il était convaincu que Motret serait devant son écran à examiner un dossier. Ce qui était en effet le cas.

— Bonsoir patron. Toujours au boulot?

— Comme tu vois, Tony. Qu'est-ce qui se passe avec ton affaire?

— Ça avance très doucement. Il y a deux pistes selon nous. La première concerne une guerre de territoire et de drogue. Il y en a plusieurs qui croient que cette hypothèse est la bonne. À commencer par les motards et la mafia. Il y a assez de voyous ici actuellement pour faire augmenter considérablement les statistiques de la criminalité régionale. La police, comme tout le monde en fait, est sur les dents.

— Oui, j'en ai entendu parler aussi. Chaque groupe, si j'ai bien compris, a délégué ses pions pour être en place si jamais il arrive quelque chose. Ça ressemble un peu à un baril de poudre, non?

— Absolument. Et les pions, comme vous dites, ce ne sont pas les premiers venus. Vous avez vu dans mon rapport?

— Oui. Et l'autre option, de quoi s'agit-il?

— Ève pense qu'il pourrait y avoir un lien avec le passé des victimes et pas avec la drogue. Vous savez qu'ils ont été impliqués dans des histoires de sexe assez sordides. Saint-Jean croit qu'il faut aussi chercher de ce côté. Je ne sais plus quoi penser. Mais il faut faire vite. Les hommes de Pop ne resteront pas inactifs bien longtemps.

— Qu'est-ce que tu suggères ?

— Envoyez-moi un profileur.

Le lieutenant Motret resta silencieux quelques instants. Les profileurs représentaient une nouvelle caste dans le secteur des enquêtes criminelles. C'était une profession encore mal définie mais qui avait déjà obtenu des résultats impressionnants dans certaines grandes affaires. Aux États-Unis, on les demandait de plus en plus. En France, certains profileurs avaient réussi à mettre en lumière de nouveaux facteurs qui avaient permis, il y a quelques années, l'arrestation de tueurs en série.

Les profileurs, jusqu'à récemment, étaient considérés comme des sorciers un peu étranges. Ni policiers, ni psychologues, ni enquêteurs, ni médecins légistes, ils réussissaient néanmoins à mettre toutes ces disciplines en commun pour analyser un crime avec une perspective différente. Une nouvelle science, la victimologie, avait été créée. Les préceptes de base en étaient simples. On partait du principe que la victime connaît son assassin. En déterminant un profil précis de la victime, on croyait possible de trouver de nouvelles avenues sur le criminel. Même si les liens unissant la victime et l'agresseur étaient minces, ils existaient. Il fallait juste les trouver. Voilà le travail du profileur.

Motret réfléchissait à tous ces éléments. Il comprenait qu'il était dangereux dans cette affaire de ne pas obtenir de résultats rapides. Une nouvelle guerre des gangs était la dernière chose dont il avait besoin actuellement.

— D'accord Tony. Fais-moi parvenir immédiatement une copie de tout ce que tu as en ta possession. Même les notes prises sur les napperons au restaurant. Je veux tout. Je remets le dossier à Julien Dubuc. Il étudiera ça en se rendant à Rimouski. Il est un peu bizarre, mais excellent. Il prend contact avec toi aussitôt qu'il arrive.

Il raccrocha, laissant Palomino seul au bout du fil. Une chose de faite. Tony reprit le téléphone pour contacter le capitaine Dufour.

— Bonsoir, répondit Dufour d'une voix ensommeillée.

— Bonsoir capitaine. Palomino à l'appareil. Désolé de vous déranger, mais j'ai besoin de vous.

— Et j'imagine que ça ne peut attendre à demain matin ?

— Peut-être que oui, mais je n'en suis pas certain. Je sens que le temps presse.

— De quoi s'agit-il ?

— Je voudrais qu'on mette certaines personnes sur écoute téléphonique. Le plus tôt possible.

— Mais il y a beaucoup de formalités à remplir pour obtenir l'autorisation.

— C'est pour ça que je vous le demande personnellement. Vous connaissez tout le monde ici.

— Mais vous savez l'heure qu'il est ?

— Oui, il est vingt-trois heures quarante-cinq, répondit Tony en regardant sa Patek Philippe.

— Non, je sais très bien l'heure qu'il est, dit le capitaine avec humeur. Je voulais juste dire... et puis merde. J'espère que c'est important. Je risque d'y passer la nuit.

— Je pense que c'est essentiel. Je laisse sur votre bureau la liste des personnes qu'il faut mettre sur écoute. Et on recevra du renfort demain pour nous aider à faire un peu de lumière dans cette affaire. Merci Dufour.

Il raccrocha le téléphone. Il suivait son instinct et il savait qu'il lui restait au moins une visite à faire avant de retourner à l'hôtel.

***

Alex venait de terminer son quart de travail et rentrait à la maison. Tout était en place pour la prochaine opération. On se retrouverait au point convenu en début de soirée demain. Les autres membres ne connaissaient pas encore le nom de la victime. C'était mieux ainsi. Les risques de fuite étaient limités. Il y avait vraiment beaucoup de monde qui posait des questions, un peu partout en ville. La prudence restait essentielle. Mais le travail jusqu'à maintenant avait été bien fait. Il n'y avait aucune issue possible et dans vingt-quatre heures un autre pas serait franchi. Une étape de plus pour la réalisation du plan. Il avait fallu des années pour tout mettre en place. Ce genre d'opération ne s'improvise pas. La prochaine victime souffrirait aussi. Il fallait l'espérer pour que le message soit clair. Et il serait très clair. Alex y verrait personnellement.

***

Palomino avait décidé de se rendre au gym. Il souhaitait y rencontrer Marc Tardif, alias Big. Il ne savait pas trop comment il l'aborderait, mais il fallait qu'il lui parle.

Il courait depuis une quinzaine de minutes sur le tapis roulant en examinant ceux qui profitaient aussi de cette heure indue pour faire leurs exercices quotidiens. Il y avait la faune habituelle. Ceux qui veulent avoir d'énormes biceps et qui se regardent admirativement dans le miroir. Ceux-là sont passablement imbus d'eux-mêmes. Dans la même catégorie, il y avait ces filles qui viennent aussi étaler la marchandise, comme disait méchamment Tony. Elles étaient jolies. Souvent même très attirantes. Tout, depuis les seins siliconés jusqu'aux tenues en lycra ultra-moulantes, ne servait pourtant que de tape-à-l'œil. Les rares fois où il avait eu à discuter avec une de ces femmes, il avait senti un vide et une solitude qui l'avait effrayé. Pourtant, il savait pertinemment que toutes les femmes qui s'entraînent ne sont pas comme ça. Ce ne sont pas toutes de simples poupées. Mais ses expériences avec quelques-unes d'entre elles n'avaient jamais été intéressantes. Il sentait cependant qu'une fille comme Denise, la barmaid au bar de Dumas, était tout à fait du style à venir s'entraîner au milieu de la nuit. Denise était une fille belle et intelligente. Elle avait quelque chose à dire et une expérience de la vie suffisamment vaste pour en montrer à bien du monde. Il valait donc mieux éviter les jugements rapides.

Il y avait enfin ceux, moins nombreux, qui viennent tenter pendant qu'il n'y a pas trop de monde de perdre ces quelques kilos en trop qui leur gâchent la vie… Et, tout au fond du gymnase, il y avait ce type, seul, qui soulevait des poids invraisemblables. On avait l'impression qu'il travaillait, que c'était une partie de son métier que d'avoir une musculature imposante. Tony était persuadé qu'il s'agissait de Tardif. Il épia son entraînement pendant quelques minutes. Assurément, il ne faisait pas partie des réguliers du gym. Ni d'aucun gym, croyait-il.

Après avoir terminé sa demi-heure de jogging, Palomino s'approcha de la section des haltères, et de celui qu'il pensait être Big, en essuyant la sueur sur son visage.

— Ça fait du bien un peu de course, non ? demanda-t-il. Moi j'en fais toujours au moins une demi-heure avant de passer aux poids.

Tardif lui jeta un coup d'œil. Il ne donnait pas du tout l'impression de quelqu'un qui souhaite discuter.

— Tu viens souvent ici ? continua Tony.

— Je suis en train de me demander ce que j'ai fait qui peut te donner l'impression que ta vie m'intéresse ou que j'ai le goût de te parler, répondit-il tout en continuant à soulever ses poids.

Tardif était très costaud. Il avait une force brute qu'il avait ensuite développée pendant des années. Les résultats étaient impressionnants. Il émanait une puissance inquiétante de cet homme. Mais Tony n'était pas non plus monté sur un châssis de poulet, comme on dit. Et il n'avait pas l'habitude d'être troublé par la grosseur des bras des autres.

— OK. Jouons cartes sur table. Je suis le sergent Palomino de la SQ. Je m'occupe de l'affaire des trois meurtres.

— Content de savoir que t'as du travail, mais ça m'intéresse toujours pas.

— Une rumeur circule. On dit qu'un des hommes de Pop est en ville pour tenter de trouver ce qui est arrivé. On dit que les victimes sont membres d'une organisation qui fait le trafic de drogue dans la région et qu'on n'est pas du tout content que ces hommes aient été éliminés. On dit aussi qu'un des chefs d'un autre groupe, les Black Pistoleros, a reçu une visite pas très agréable.

— C'est quand même incroyable tout ce qui se dit.

— C'est pas tout. On dit aussi que la mafia est dans le coin et qu'ils cherchent également à comprendre ce qui s'est passé. On dit même que tout ce beau monde met tout à l'envers pour avoir des informations.

Pour la première fois, Big déposa les haltères. Il prit sa serviette pour s'éponger le front et regarda Tony droit dans les yeux.

— Qu'est-ce que tu me veux, demanda-t-il.

Il n'y avait aucune chaleur dans la voix, juste une menace sous-jacente.

— Je veux juste éviter que quelqu'un fasse une bêtise. C'est jamais bon quand dans une aussi petite ville tant de personnes douteuses se côtoient.

— Je suis certain que la police contrôle tout ça, railla Big.

— On fait ce qu'on peut, répondit Tony qui s'était approché de Tardif. On va trouver qui a fait ça et pourquoi. Mais il nous faut un peu de temps. Pour l'instant, votre petit trafic ne m'intéresse pas. Laissez-nous travailler. On va trouver qui a commis ces meurtres.

À son tour, Tardif s'approcha de Palomino jusqu'à ce que leurs visages se touchent presque. Il le regardait directement dans les yeux, sans cligner.

— Je sais pas pourquoi tu me dis tout ça. Mais si la situation est celle que tu décris, il va falloir que vous travailliez très vite pour éviter des problèmes. J'ai entendu dire que ces gars-là n'ont pas beaucoup de patience.

— Il faut nous laisser un peu de temps. Pour le moment, on est même pas certains que toute cette histoire ait même une relation avec vous et avec la drogue. Laissez-nous un peu de temps pour trouver la vérité. C'est tout ce qu'on vous demande.

— Si j'étais la personne que tu penses que je suis, je pourrais te dire que je te comprends et que je suis d'accord. Je pourrais aussi te dire que vous n'avez pas beaucoup de temps pour faire avancer votre enquête. Je pourrais encore te dire qu'on attendra seulement si personne ne fait de coup fourré... et que, dans tous les cas, les délais sont courts. Très courts.

Reprenant ses haltères et se réinstallant pour continuer ses efforts, Tardif ajouta : « Mais comme je ne suis pas la personne que tu penses, tu fais erreur sur toute la ligne et je peux pas t'aider. Maintenant laisse-moi tranquille. »

Palomino demeura quelques instants à regarder l'autre, ne sachant trop quoi penser. « Finalement, se dit-il, j'ai obtenu ce que j'avais demandé. Un peu de temps avant que les représailles ne commencent. Peu de temps, certes, mais du temps quand même. »

Il ne restait plus qu'à rentrer à l'hôtel et dormir quelques heures. S'il en était capable.

Ce dont il doutait.

***

Dumas non plus n'avait pas eu une excellente nuit. Le message de Capelli avait laissé des traces et des ecchymoses un peu partout sur son corps. Avec son poids il était déjà difficile de se déplacer, mais les séquelles de la brève discussion rendaient les mouvements encore plus lents et, surtout, très douloureux. Les hommes de Capelli avaient rempli leur mandat à la perfection. Dumas se regardait dans la glace. Il avait l'impression qu'une gorille en mal d'affection lui avait fait des avances toute la nuit, laissant tout son corps bleu et sensible. Sa figure, elle, était intacte. Rien n'y paraissait.

La situation était catastrophique. D'un côté, Big qui examinait les chiffres et qui y découvrirait certainement les petites ponctions qu'il avait faites. Il y avait aussi Vince Capelli qui voulait une marchandise déjà payée et que Dumas était maintenant dans l'impossibilité de lui livrer. Il y avait encore ce policier qui le harcelait et qui continuerait certainement à le faire. Il n'y avait que les Black Pistoleros qui n'avaient pas encore donné signe de vie. Mais ça viendrait. Impossible d'y échapper.

Dumas savait très bien, quand il avait commencé à doubler Pop, qu'il entrait en terrain miné. L'argent facile dans ce milieu, c'est un mythe. Les risques, il s'en rendait maintenant compte, étaient bien trop élevés pour ce qu'il pouvait en retirer.

Le problème restait néanmoins entier. Que faire? Il fallait partir avant que Big ne découvre le pot aux roses. Mais Capelli le faisait surveiller. D'ailleurs, connaissant Big, il se doutait bien que lui aussi avait mis un chien de garde à ses trousses. Tant qu'à y être, il était probable que les « BP » aussi l'épiaient. Ça faisait beaucoup de monde en faction devant sa maison. « Mon avenir, se dit-il, est un peu bouché. »

Il lui restait une possibilité de s'en sortir. Il serait pauvre, mais peut-être resterait-il vivant. Il fallait négocier avec les policiers. Collaborer avec eux. Mais Dumas savait qu'il ne pouvait pas mettre grand-chose dans la balance. En tout cas, pas en ce qui concerne les meurtres. Il pourrait cependant leur donner une information de première main sur le trafic de la drogue en Gaspésie et sur la façon dont les réseaux fonctionnaient. Il pourrait même leur donner les noms de responsables autant des motards que de la mafia. Ce qui n'était certainement pas sans valeur pour les policiers.

Il lui fallait réfléchir. Le moindre faux pas et il serait éliminé par l'un ou l'autre de ses employeurs. Si ceux-ci ne faisaient que sentir une possibilité de trahison, il serait tué avant même d'avoir réalisé ce qui lui arrivait.

Un autre problème le perturbait. Ces meurtres. Qui était derrière tout ça? Il n'en avait pas la moindre idée. Et si le policier avait raison? Et s'il était le prochain sur leur liste? Ça valait le coup qu'on y pense aussi. Il n'aurait pas parié beaucoup sur ses chances de passer au travers des prochains jours. Mais il avait toujours été chanceux. Alors pourquoi pas une dernière fois? Après, il serait toujours temps de se reprendre en mains.

* * *

Julien Dubuc était dans le compartiment-lit du train qui l'emmenait à Rimouski. Il avait toujours préféré le train à l'avion ou à l'auto. Il avait, depuis longtemps, déterminé que le train était une façon civilisée de voyager. Probablement le dernier véritable moyen de transport. Quoique le bateau doive aussi posséder un charme vétuste et agréable, se disait-il. Il se promettait, aussitôt qu'il en aurait la chance, de faire une véritable croisière. Quelque chose comme la traversée vers l'Europe. Le train, cependant, conservait un cachet qu'il appréciait énormément. Mais tout ceci était de toute façon incontestablement hors de propos pour le moment.

Avec son portable, il commençait à noter quelques idées sur les victimes de Rimouski. Il avait déjà lu deux fois tous les documents que Motret lui avait transmis. Remarquablement bien faits, ces rapports. Clairs et concis. Spécialement les notes du détective Saint-Jean. Elle avait certainement une formation en psychologie.

C'était surtout une affaire intéressante. Un dossier dans lequel un profileur pouvait assurément apporter un éclairage nouveau. Deux pistes bien nettes et distinctes qui pouvaient toutes les deux être étayées par plusieurs indices. Le seul point faible des dossiers qui lui avaient été remis concernait les victimes elles-mêmes. Il y avait quelques trous qu'il fallait combler avant de pouvoir avancer des hypothèses sérieuses. C'était là où il intervenait.

Depuis plusieurs années, il tentait de découvrir la relation entre les victimes et leurs agresseurs. Il avait commencé à s'intéresser à la question lors d'un séjour en France. Il avait alors eu l'occasion de travailler sur une série de meurtres où une approche nouvelle avait permis de donner aux enquêteurs des moyens pour faire sortir l'assassin de l'ombre. On avait réussi à épingler le coupable. Depuis ce temps, il continuait à mettre en relation des choses qui, parfois, semblaient complètement étrangères entre elles mais qui permettaient d'envisager une nouvelle perspective.

Ses premières impressions sur l'affaire de Rimouski semblaient indiquer que le passé des victimes était le nœud de tout. Il y avait quelque chose qui clochait. Et la façon dont elles avaient été tuées avait été choisie en fonction du passé des victimes. Il en était certain.

Il arriverait à Rimouski au matin. Il lui restait quelques heures. Le mieux était encore d'en profiter pour dormir un peu. La journée qui venait, et les autres, seraient certainement longues.

Chapitre 9

La première impression qui lui vint, c'est qu'il avait dormi, profondément, de ce sommeil sans repos causé par l'épuisement. Puis la musique du téléphone qui l'avait sorti de son inconscience se fit entendre de nouveau. Les yeux toujours fermés, il tâtonnait pour trouver son portable.

— Allo! dit-il d'une voix un peu pâteuse.

Quelques secondes s'écoulèrent avant qu'il ne réponde.

— Quelle heure est-il? Mamma, pourquoi est-ce que tu me téléphones alors qu'il n'est même pas six heures du matin? reprit-il aussitôt qu'il eût la réponse.

Il y eut une autre pause, un peu plus longue celle-là, pendant que sa mère lui répondait.

— Je sais que je devais dire à Lise de passer te voir pour discuter. Mais je n'ai pas eu le temps. Qu'est-ce que tu crois mamma? Que je suis en vacances? Non, je ne t'engueule pas... Non... Non... Je sais qu'on ne parle pas à sa mère comme ça... Écoute, je lui parle et je te rappelle... Je t'embrasse... Ciao! conclut-il en raccrochant.

Un de ces jours, même s'il aimait bien sa mère, il l'enverrait promener. Mais en se disant cela, il savait aussi très bien qu'il ne le ferait jamais. Sa mère avait toujours eu un don pour le déranger et le faire sentir comme un petit garçon qui a fait une bêtise. Mais il ne l'enverrait jamais promener parce que... il ne le ferait pas parce qu'il était Italien et que ça ne se faisait pas.

Point à la ligne. Pas compliqué.

Il avait besoin d'un bon expresso très serré pour démarrer convenablement sa journée. Mais l'hôtel, se souvint-il, n'en avait pas. Comme il était encore tôt, il avait le temps de trouver un resto digne de ce nom qui pourrait lui en servir un.

L'opérette de son téléphone reprit. « Merde, pas encore elle. Cette fois je vais lui dire le fond de ma pensée. »

— Mamma ! Donne-moi au moins quelques minutes avant de me harceler encore… Oh, pardon. Je croyais que c'était quelqu'un d'autre… Parfait. Je passe vous chercher à la gare.

Il reposa le téléphone en se disant que sa relation avec le profileur démarrait de façon assez « ordinaire ». Il prit sa montre et constata qu'il avait bien quarante-cinq minutes avant d'aller le chercher à la gare. Il aurait le temps malgré tout de se trouver un café civilisé. La journée semblait tout indiquée pour une tenue alliant Armani et Prada, se dit-il en se dirigeant vers la douche, sans oublier, au passage, d'ouvrir la télé à la chaîne des informations continues pour savoir ce qui se passait dans le monde. Il tomba justement sur un reportage concernant l'affaire de Rimouski. Michel Taschereau, qu'on voyait en gros plan, expliquait où en était l'enquête.

— Les trois victimes sont bien connues des milieux policiers. L'enquête avance normalement et la Sûreté de Rimouski et la Sûreté du Québec mettent leurs effectifs en commun pour résoudre l'affaire.

— Est-il vrai qu'il s'agit du début d'une nouvelle guerre des gangs ? demanda le journaliste.

— Il est trop tôt pour l'affirmer. Certains indices laissent cependant croire que ce pourrait être lié au trafic de la drogue et à son contrôle dans la région. Les victimes seraient membres d'un groupe de motards criminalisés qui sévit un peu partout au Québec…

Tony n'en revenait pas. Le responsable des communications, le type qu'il avait demandé en renfort pour l'appuyer dans cette affaire et contrôler les médias, était en train de dire à tout le monde qu'on était probablement à l'aube d'une guerre de gangs. « C'est pas vrai… se dit-il. Mais comment ça se fait qu'ils nous ont envoyé un « épais » pareil. Je pense que je vais le tuer. Dès ce matin. À la réunion. »

* * *

Pour un deuxième matin de suite, Ève Saint-Jean se réveillait dans les bras du légiste de Rimouski. « Ça devient une habitude, se dit-elle. Pas désagréable mais quand même, il va falloir que je réfléchisse avant que ça aille plus loin. » Elle se retourna délicatement pour lui déposer un baiser dans le cou, ce qui le réveilla instantanément.

— Bonjour ma poule, lui dit-il en souriant.

— Ah non ! Appelle-moi pas comme ça, je t'en prie. Y a déjà assez de Tony qui le fait.

— Parfait… Alors que dis-tu de mon beau trognon de cœur de pomme ?

— Toi, tu connais les mots qui font vibrer le cœur d'une femme, lui répondit-elle. « Trognon de cœur de pomme ». C'est ton côté légiste qui remonte on dirait. Tu trouves un charme à tout ce qui est mort ou quoi ?

— Bon… On trouvera autre chose. Bien dormi ?

— Oui. Je pensais pas y parvenir, mais tu m'as fait un bien fou, dit-elle en changeant de ton. Mais il faut que je m'active maintenant et… tu sais quoi ? J'ai faim. Très faim. Alors on fait vite, ajouta-t-elle en se levant pour aller sous la douche.

L'Écuyer la regardait aller vers la salle de bain.

— On dirait un félin quand tu marches, lui dit-il. T'as un dos exquis et des fesses rebondies et magnifiques qu'on rêve de pincer.

Elle se retourna, prit le premier objet qui lui tomba sous la main et le lança au docteur.

— Comment ça, rebondies ? Et que je te vois me pincer les fesses… Toi et le romantisme ça fait vraiment deux, hein ?

— Tu vas voir si je suis romantique.

Il bondit du lit pour l'attraper mais elle était beaucoup plus vive que lui et s'était déjà enfermée dans la salle de bain.

* * *

Dufour avait passé pratiquement toute la nuit au téléphone pour obtenir les autorisations et faire mettre sur écoute téléphonique la plupart des personnes dont les noms apparaissaient sur la liste de Palomino. Il ne s'était pas fait beaucoup d'amis cette nuit, mais la résidence et le bar de Dumas seraient sur écoute le matin même, de même que la résidence de Thomas Dubé, le chef local des Black Pistoleros. Les démarches avaient été un peu plus difficiles pour les deux autres personnes qui n'étaient absolument pas liées à l'affaire mais il avait aussi réussi à faire mettre sur écoute téléphonique Louise Barbeau et Sandra Michaud. Dufour ne comprenait pas très bien en quoi ces deux femmes pouvaient être liées aux meurtres de l'entrepôt, mais il avait obtenu qu'on les surveille aussi. Palomino avait fourni des raisons vagues mais suffisantes pour obtenir les autorisations et Dufour savait très bien qu'il aurait à retourner plusieurs ascenseurs.

Les recherches s'effectuaient maintenant pour trouver les numéros des téléphones cellulaires de tout ce beau monde afin de les faire surveiller également. Et là, il fallait ajouter Marc Tardif, alias Big, à la liste.

* * *

Le voyage s'était très bien passé. Julien Dubuc descendait du train et tentait de reconnaître l'inspecteur Palomino dans la foule anonyme de la gare. Avec la description que Motret lui en avait faite, il ne serait certainement pas difficile à localiser. Mais c'est plutôt Palomino qui le trouva.

— Julien Dubuc ?

— Oui, c'est moi, dit-il en se tournant. Vous être certainement le détective chargé de l'affaire ? ajouta-t-il en tendant la main.

— On peut rien vous cacher.

Tony le regardait d'un œil habitué à détailler les gens. Julien Dubuc, milieu de la trentaine, cheveux bruns, yeux bleus – probablement assez myope si on se fie à l'épaisseur des verres de ses lunettes –, environ un mètre quatre-vingt-cinq, jeans bleus, veston noir et t-shirt blanc. Il avait une poignée de main franche et semblait beaucoup plus habitué à taper sur un clavier que sur un sac d'entraînement de boxe. Et il avait l'air sympathique.

De son côté, Dubuc examinait aussi Palomino. S'il n'avait pas l'œil aussi exercé pour les détails techniques, son analyse n'en était pas moins intéressante. Tony Palomino, se dit-il, de descendance italienne, probablement de la deuxième génération, confiant en ses capacités, attache beaucoup d'importance à l'apparence des gens et à la première impression, fait beaucoup d'exercice, préfère toujours passer à l'action d'abord quitte à réfléchir ensuite et est toujours méticuleux dans ses enquêtes comme dans le choix de ses tenues. Et il a l'air sympathique.

— Bienvenue à Rimouski, lui dit Tony. Vous avez fait bon voyage?

— Excellent. J'adore le train. On s'y sent en sécurité et la monotonie du bruit des roues sur les rails permet de réfléchir… ou de dormir. C'est selon. Mais vous savez que je prendrais bien un bon café avant toute autre chose?

— On est deux alors. Je prendrais bien un autre expresso avant d'aller à la réunion.

Pendant que Tony le conduisait vers sa voiture, son téléphone fit entendre son air d'opérette. Intrigué, Dubuc le regarda.

— C'est un extrait de « La vie parisienne » d'Offenbach ça, non?

— Oui! J'adore cet air. C'est le genre de chose qui jouait toujours dans la maison quand j'étais petit. Mon père adorait l'opérette. Spécialement Offenbach et Bizet.

— Et… pourquoi ne répondez-vous pas ?

Tony regarda son téléphone sur lequel le numéro de sa mère était affiché.

— Je sais de qui il s'agit. Et ce n'est pas essentiel pour le moment.

— Revenons-en à notre affaire, si vous voulez. J'ai entendu aux nouvelles que vous optez plutôt pour une histoire de guerre de gangs ? C'est bien ça ? Parce que dans le rapport qu'on m'a remis, on parle de deux hypothèses de travail. Je ne suis d'ailleurs pas convaincu que ce soit une bonne chose de sortir cette information alors que le territoire regorge de membres des divers clans.

— Je pense que c'est juste une erreur d'un « bleu » qui nous a été envoyé pour s'occuper des communications dans cette enquête. Mais pour être tout à fait franc, j'ai bien l'intention de le tuer aussitôt que je le vois, commenta Tony soudainement de très mauvaise humeur.

***

Tout était en place pour le soir même. Alex prendrait possession du « colis » vers vingt et une heures pour l'amener au point convenu. Les autres attendraient là-bas. Il n'y a que Lou qui l'accompagnerait pour conduire la camionnette. Le véhicule serait volé en fin d'après-midi et abandonné plus tard près du stationnement d'un centre commercial. Il serait difficile de remonter la piste à partir de là. Tout avait été prévu. Alex irait à la cache pour ramasser les armes et les outils, s'assurer que tout était en ordre et les remettrait à Lou qui les conserverait jusqu'au moment prévu. La deuxième étape était commencée. Plus tôt que prévu mais c'était parfait comme ça. Alex, comme les autres, avait besoin de passer à l'action. Demain, on ne parlerait que de ça. Le message finirait par porter. C'est la seule chose qui, finalement, importait.

***

Big avait beaucoup réfléchi après sa rencontre avec le policier. Il avait peut-être raison. Ces meurtres n'avaient peut-être rien à voir avec le marché de la drogue en Gaspésie. Depuis deux jours, tout le monde était à l'affût et aucune information utile ne pouvait lier ces meurtres, ni à la mafia, ni au Black Pistoleros. Et absolument rien ne laissait présager que les « Evils » tentaient une nouvelle percée. Mais sait-on jamais ?

On aurait presque dit que personne n'était responsable des meurtres. Pourtant on avait bien tué trois types, se dit-il.

Big devait faire son rapport à la première heure. Pop ne serait pas content. La patience n'était pas sa principale qualité. Loin de là. Comme il le connaissait, il devait arracher le papier peint partout dans la maison. Pop avait peut-être réagi un peu vite en lançant ses avertissements. Mais ce n'était pas certain. Les ennemis étaient nombreux et pouvaient se montrer très discrets quand il le fallait. Or, prendre le contrôle de l'est du Québec serait un gros coup. Et si quelqu'un s'était lancé dans cette opération, il devait avoir planifié cette tentative de prise de contrôle à la perfection. Il était donc encore possible qu'un gang soit derrière l'élimination de ses hommes.

Ce qui était certain, c'est que tout le monde avait peur. Même les cinq hommes qui étaient débarqués pour continuer le travail étaient inquiets. Ça ralentissait beaucoup le boulot.

Il faudrait aussi évaluer comment réagir face aux activités locales des Pistoleros. Pas question de les laisser s'installer. Même dans les petits villages. Surtout pas maintenant. Ne pas agir serait inévitablement considéré comme une faiblesse. Or, rien dans ce milieu n'était plus dangereux que des signes de faiblesse. La réplique devait être sévère. Mais il fallait d'abord déterminer qui était derrière les crimes. De ça dépendrait la suite.

Il avait donné un peu de temps au policier pour débrouiller l'affaire et apporter une solution autre que celle du contrôle de la drogue. Tant mieux si le flic réussissait. Tant pis pour la région si on prouvait que la mafia ou les « BP » étaient les maîtres du jeu. La guerre reprendrait aussi immanquablement que la marée monte et descend.

Big avait aussi passé une partie de la nuit à examiner la comptabilité de Dumas. Et il avait trouvé de drôles de choses. Le gros jouait un jeu dangereux. Il avait fait très attention et était habile mais il manquait de l'argent. Ça au moins c'était clair. Il avait ouvert son propre marché et traitait en solitaire, probablement avec la mafia. En tout cas, c'était eux qui surveillaient la maison de Dumas, la veille. Ça non plus ça n'enchanterait pas Pop. Au moins, la solution était claire et facile. L'appétit de Dumas pour l'argent qui ne lui appartenait pas lui sera fatal.

***

— J'ai analysé les dossiers des victimes, expliquait Julien Dubuc. Et je le répète, c'est dans leur passé que se trouve la solution, quelle qu'elle soit.

La réunion avait commencé dans le désordre, Palomino ayant bien fait sentir à Taschereau, le responsable des communications, qu'il s'était mis les pieds dans les plats et qu'il avait mis encore plus de pression, non seulement sur les enquêteurs, mais aussi sur les différentes factions qui étaient en cause dans cette histoire. Aller dire que les policiers soupçonnent une rivalité entre gangs pour le contrôle de la drogue était certainement la dernière chose à annoncer. Le seul bon côté, selon Tony, c'est que Taschereau n'avait pas parlé de pédophilie ou de crimes sexuels. Bien maigre consolation. Taschereau ne savait plus où se cacher.

— Je croyais avoir été clair, avait précisé Tony. Pas question de parler de drogue ou de risque de guerre entre gangs. Pas compliqué à comprendre. Vous pouviez leur débiter n'importe quelle histoire et tout aurait été parfait. Maintenant qu'ils savent que les policiers ont peur de revoir à Rimouski ce que Montréal a connu, tous les journalistes du pays vont rappliquer.

Le capitaine Dufour sentait aussi la pression des médias et de la population pour que de nouveaux éléments viennent éclairer l'affaire. Les rumeurs que rapportaient ses policiers montraient clairement l'inquiétude qui régnait partout. Depuis le début de la matinée, le maire lui avait parlé trois fois, lui intimant l'ordre de faire le nécessaire pour que le calme revienne au plus vite. Savoir que trois groupes criminalisés rivaux se trouvaient dans sa ville et qu'il n'était pas impossible de revivre une guerre le rendaient un tantinet irritable. Avec raison. Il y avait eu plusieurs petites escarmouches. Rien de sérieux, mais suffisamment pour créer un climat malsain dans une ville qui autrement était paisible et agréable.

Dubuc, loin de ces considérations, continuait d'expliquer ce que révélait son analyse des dossiers.

— Il faut fouiller davantage dans le passé des victimes. C'est là que nous trouverons les réponses, dit-il. L'expérience le prouve, les victimes ont toujours un rapport avec leurs agresseurs. Je crois que le trafic de la drogue n'est pas en cause. Je suis d'accord avec la détective Saint-Jean, il faut examiner le côté sexuel de leur passé.

— En quoi tout ça pourrait nous aider ? demanda le capitaine Dufour. C'est pourtant pas compliqué. On a trois meurtres d'un côté ; on sait aussi qu'il y a du trafic de drogue dans toute la région ; on sait qu'il y a trois groupes qui revendiquent ce territoire, alors il faut simplement trouver lequel a débuté les hostilités. Ensuite, dans le pire des cas, les gangs régleront leurs problèmes ensemble.

— Je suis pas d'accord capitaine, avait répliqué Palomino. C'est un peu comme ça qu'on avait agi à Montréal et tout le monde sait ce qui est arrivé. Il faut au contraire tenter de calmer le jeu et il faut surtout trouver les réponses avant qu'un des groupes ne décide de passer à l'action, surtout si rien n'est lié à la drogue.

Sinon, c'est l'escalade.

— Je suis certain qu'il ne faut pas abandonner la piste de la drogue, insista Dubuc. Mais parallèlement, on peut travailler le passé sexuel des victimes. Ils étaient loin d'être des anges. On peut déjà les considérer comme ayant été des pédosexuels. Y a certainement matière à réflexion de ce côté.

— Excusez mon ignorance, interrompit le docteur L'Écuyer, mais qu'est-ce que vous entendez par « pédo-sexuels » ?

Avant que Dubuc ait pu le faire, Ève Saint-Jean intervint.

— C'est intéressant de faire une petite mise au point sur tous ces termes. Tout le monde sait ce qu'est la pédophilie. On sait moins cependant qu'on classe géné-ralement les pédophiles en trois groupes. Le premier étant celui des pédophiles abstinents. Ils sont attirés par les enfants, mais ont fait le choix volontaire de ne jamais succomber. Il y a ensuite les pédophiles latents ou plus exactement passifs. Ils ne toucheront pas à des enfants, mais ce n'est pas le résultat d'une décision mûrie. Ils réfrènent leurs pulsions à cause de stimuli extérieurs, comme la peur de la prison ou la peur d'être exclus de leur milieu. On peut dire qu'ils ont un certain nombre de valeurs qui les empêchent d'aller plus loin. Le troi-sième groupe est celui des pédophiles dits « actifs ». Ils sont prêts à passer à l'acte. Ils attendent l'opportunité et dans certains cas ils feront tout pour créer cette oppor-tunité. C'est dans cette dernière catégorie que se trouvent les pédosexuels. C'est dans celle-là aussi que se trou-vaient les trois fafouins qui sont à la morgue.

— Dites-moi, demanda Taschereau, nos trois vic-times, en tout cas deux d'entre elles, étaient des personnes violentes. Est-ce que c'est une caractéristique des pédo-sexuels ? Parce que dans ce cas-là, le troisième, celui qui vendait des photos sur Internet, à part la certitude qu'il a été un salaud, son racket ne nous permet pas de dire qu'il était vraiment violent ?

— Tu penses ça ? répondit Palomino. Mets-toi à la place des jeunes qui étaient forcés de poser nus et de prendre des poses ou faire des gestes qui vont à l'encontre de tout ce qu'on leur a dit. Tu penses vraiment qu'il mettait pas un peu de pression sur les jeunes ? Quand il leur disait qu'il ne fallait pas parler de ce qui se passait quand on prenait les photos ? Tu penses sérieusement qu'il y avait pas de violence dans tout ça ? Alors continue à sucer ton pouce et laisse-nous travailler !

Quand Palomino prenait quelqu'un en grippe, il n'avait pas son pareil pour le faire rentrer dans son trou, songea Ève. Elle tenta donc de redonner une autre tournure à la discussion.

— Vous avez quand même un peu raison, Taschereau, reprit Ève. Parce que parmi les pédosexuels, les spécialistes distinguent aussi trois grandes catégories. Il y a les pédosexuels qui pensent que les enfants acceptent de bonne foi d'avoir des relations sexuelles avec eux et que ça ne risque pas de les traumatiser en aucune façon, que ce n'est pas néfaste pour les jeunes qu'ils séduisent. Il y a aussi une autre catégorie de non-violents qui utilisent la ruse, l'argent ou d'autres formes de séduction pour avoir des relations avec des enfants. Ceux-là sont complètement indifférents aux conséquences que tout ça peut avoir sur les enfants. Seule leur satisfaction compte. Il y a enfin les violents. Pour eux, l'enfant est un simple objet sexuel. Ils n'éprouvent aucun remords à les menacer, à les manipuler, à les faire chanter ou à les violenter pour obtenir ce qu'ils désirent. Ils n'ont aucun sentiment pour les enfants qu'ils abusent et se foutent complètement de ce qui leur arrive après. Voilà… Ils sont de loin les plus dangereux. C'est aussi dans cette catégorie que se trouvent nos macaques.

Pendant quelques instants, tout le monde était resté silencieux. Ils étaient tous perdus dans leurs pensées, tentant d'imaginer l'inimaginable.

Palomino, qui conservait toujours les pieds sur terre et qui ne voyait pas de problème à travailler sur deux hypothèses à la fois, fut le premier à intervenir.

— OK... Alors voici comment nous procéderons, dit-il. Ève et le profileur éplucheront le passé des victimes. Je pense, docteur, que si vous avez le temps, vous pourriez les appuyer dans leurs recherches. Après tout, c'est un peu votre secteur aussi, et comme vous étiez déjà dans la région quand ces affaires de pédophilie sont arrivées, vous pourrez probablement apporter un éclairage intéressant. Pendant ce temps, le capitaine Dufour et moi étudierons l'avenue des gangs et surtout, nous ferons l'impossible pour gagner du temps pour que la situation ne dégénère pas. Il faut obtenir des résultats sous peu.

— Qu'est-ce qui nous dit que les motards ou la mafia ne commenceront pas à s'entretuer dans une heure ou dans une journée ? demanda Dufour.

— J'ai eu une petite discussion informelle avec Tardif cette nuit. Je pense qu'on profite d'un petit délai avant que les hostilités commencent. Il faut bien comprendre que même s'il y avait pas eu trois morts, ces organisations ont quand même des comptes à régler. Qu'ils se retrouvent dans ce qui est, malgré tout, une bien petite ville n'améliore rien. Au contraire. Tout ce beau monde se connaît et se soupçonne. Il faut, de notre côté, faire en sorte que ça ne dégénère pas. Pour y arriver, il faut trouver les assassins. Avant eux. Surtout si c'est l'un des gangs qui est derrière les exécutions.

— Et par où on commence ? demanda Dufour.

— J'ai ma petite idée, répondit Palomino. Tout le monde me dit que les Italiens se connaissent, alors on va en profiter.

— Et il faut contrôler les journalistes, poursuivit Tony en s'adressant à Taschereau. Ils ont assez d'imagination comme ça sans leur suggérer des scénarios. Je me suis bien fait comprendre ?

— C'est parfaitement clair, dit Taschereau. Je vais les occuper.

Fermant son dossier avec humeur, Palomino fut le premier à sortir, accompagné du capitaine Dufour.

Pendant que les autres rangeaient leurs dossiers, Taschereau s'approcha d'Ève Saint-Jean.

— Est-il toujours aussi dur? demanda-t-il doucement.

— Bien sûr que non! lui répondit Ève. Aujourd'hui il est plutôt de bonne humeur, dit-elle en sortant à son tour de la salle de réunion.

***

La journée avait été longue pour tout le monde. Après la réunion, Ève Saint-Jean et le profileur avaient passé des heures à mettre en commun leurs informations et leurs perceptions des choses. Ça n'avançait pas aussi rapidement qu'ils l'auraient voulu. Malgré l'importance que tout le monde accordait à cette affaire, il n'était pas évident d'obtenir tous les renseignements sur les dossiers pédosexuels des trois victimes de Rimouski. Les fonctionnaires de Rimouski, peu familiers avec les règles de conduite à observer quand il s'agissait de délinquants mineurs, multipliaient les barrières pour empêcher les policiers d'accéder aux dossiers des trois victimes.

Les fonctionnaires soutenaient et croyaient, en toute bonne foi, que le système avait été mis en place pour éviter justement que les gestes criminels commis avant l'âge de dix-huit ans soient accessibles, même aux policiers et surtout, croyaient-ils, quand un jeune avait pu être ramené dans le droit chemin. Toujours avec la même bonne foi, les fonctionnaires créaient encore plus de difficultés quand on voulait avoir des renseignements sur les victimes de ces agresseurs. Le système, soutenaient encore les fonctionnaires, avait été instauré comme une barrière pour protéger ceux et celles qui avaient été abusés et leur éviter des problèmes additionnels.

Bref, rien n'était simple. Mais on progressait.

De son côté, Palomino avait cherché à localiser Vince Capelli. Il avait enfin réussi à le trouver dans un petit bar italien de la rue Saint-Jean-Baptiste qu'il surveillait de sa voiture.

— Comment allez-vous procéder ? lui demanda Dufour qui l'accompagnait.

— Très simplement. Je vais sortir et aller lui parler.

— Et vous croyez qu'il va coopérer ?

— Y a rien comme de demander, me disait toujours ma mère.

Il sortit de l'auto, traversa la rue et entra dans le bar. Capelli était assis à une table, sirotant un expresso en compagnie de deux autres personnes. Il reconnut immédiatement Palomino.

— Excusez-moi, Messieurs, je crois que j'ai de la visite, dit-il aux deux hommes qui lui tenaient compagnie.

Palomino attendit quelques secondes que Capelli soit seul et s'approcha.

— Pas à dire. Étonnant que nos routes se croisent encore, dit Palomino.

— Italien un jour, Italien toujours, répliqua Capelli. Bien que nos routes se soient largement éloignées depuis l'école. Comment ça va, Tony ?

— On fait aller, comme disait mon père. Et toi ?

— Toujours le travail... J'imagine que t'es pas venu pour parler de la famille et de notre enfance ?

— Qu'est-ce que tu fous ici, Capelli ? Les petites villes de vacances, c'est pas ton style.

— Qu'est-ce que t'en sais ? J'adore Saint-Tropez et c'est pas une grosse ville non plus.

— On a appris que ton patron fait une montée de lait...

— Le renseignement est bon, répondit Capelli. Tu te souviens comme il aime les animaux, particulièrement les chevaux ? Eh bien, il est arrivé un accident à un de ses petits préférés.

— Et c'est pour ça que t'es ici ?

— Oui... Je comprends que ça puisse sembler un peu loin. Mais il y a des rumeurs qui disent que l'accident du cheval n'en serait peut-être pas un finalement.

Les mêmes rumeurs disent que ceux qui ont fait ça au canasson l'ont fait parce qu'il s'est passé quelque chose ici. Alors tu vois, je suis venu voir comment un événement qui est arrivé à Rimouski peut avoir eu comme résultat qu'un foutu cheval soit tué.

— Écoute, Vince... Pour le moment, vos petites affaires ne m'intéressent pas du tout. Ça viendra, mais plus tard. Tout ce que je veux, c'est éviter que des innocents aient à payer pour vos combines. Je veux éviter que vous commenciez à vous entretuer ici.

— Je peux te jurer, en mémoire de notre passé, que j'ai rien à voir dans ce qui est arrivé ici. Je peux aussi te dire que s'il n'en tenait qu'à moi, je retournerais tout de suite à Montréal et j'oublierais Rimouski. Mais dans le business on fait pas toujours ce qu'on veut.

Vince Capelli fit une pause. Il jeta un coup d'œil autour pour s'assurer que personne ne pouvait entendre.

— Je vais te dire Tony, murmura-t-il en se penchant vers Palomino. J'ai pas plus intérêt que toi à ce que la merde s'installe ici. Pour nous, les territoires et les juridictions ont été déterminés et ça fait notre affaire. Mais il est pas question qu'on nous fasse des menaces et qu'on réagisse pas. Alors si tu veux pas qu'il se passe quelque chose, fais ton boulot et trouve au plus vite qui a merdé ici. On fera rien les premiers, mais il faut pas que la situation s'éternise. Ou alors on règlera nos comptes comme on l'entend. Tu comprends, dans le fond, savoir qui a tué ces types est secondaire à partir du moment où on nous a mêlés à cette histoire. Mais t'as raison. Les actions pourraient être différentes si on savait qui est derrière tout ça et qui a tué...

— Fais pas de menaces, Vince. On sait très bien ce qu'on a à faire. Il est en effet très possible que les meurtres n'aient rien à voir avec la drogue. Tout ce que je veux c'est que personne ne passe aux représailles avant de savoir ce qui est vraiment arrivé.

— J'peux rien te promettre. Mais disons que t'as peut-être encore un peu de temps.

— Alors, toujours en souvenir de notre jeunesse, tu peux me dire ce que ton enquête a donné jusqu'à maintenant ?

— Tu manques pas d'air, répondit-il en riant. Toujours aussi effronté...

Vince prit une gorgée de café en regardant Tony.

— Bon... Pour être franc, je suis pas beaucoup plus avancé qu'à mon arrivée. Alors soit quelqu'un sait et ne veut pas parler, soit le coup ne vient pas du milieu. Je me suis pas encore fait d'idée précise sur la question. Je souhaite que tu donnes les réponses. Tu as encore, comme je te l'ai dit, un peu de temps. À toi de voir...

— C'est tout ce que je voulais, dit Tony en se levant.

Pendant quelques secondes, les deux hommes s'affrontèrent du regard. Puis Capelli décida d'en rire et baissa les yeux en refusant le défi. Tony sortit alors sans un regard en arrière. Mais il sentait la tension dans ses épaules et la transpiration qui coulait dans son dos. Il détestait les hommes comme Capelli et il détestait surtout leur travail. C'était à cause d'eux que les Italiens avaient une mauvaise réputation. Leurs routes, c'était écrit, se croiseraient encore. Peut-être pas aujourd'hui, peut-être pas cette semaine, peut-être pas ici, mais un jour quelque part, ils devraient régler leurs comptes.

***

Le coucher de soleil avait été magnifique. Cette région du monde était certainement celle où on pouvait admirer les plus beaux couchers de soleil. Le spectacle était grandiose et durait plusieurs minutes. Rien à voir avec ce qu'on voit à l'équateur où le soleil « tombe » littéralement dans la mer en quelques secondes. Ici, les couchers de soleil constituaient un événement. Une des beautés que la Terre peut nous offrir. En fin de journée, la planète se laissait aller sans aucune retenue pour montrer qu'aucune réalisation humaine n'était de taille à rivaliser avec ce spectacle. Les humains ne sont que des microbes, de simples spectateurs d'une scène qui les dépasse largement et devant laquelle l'humilité est requise.

Alex était loin de ces considérations esthétiques. Lou, au volant de la camionnette, conduisait le « colis » vers une ancienne usine de pêche désaffectée près du vieux quai de l'est de la ville. Le quai avait été abandonné il y avait déjà plusieurs années parce que sa rénovation aurait exigé trop de travaux et d'investissements. Les gouvernements avaient alors décidé de laisser la mer reprendre ses droits. Tout ce qui gravitait autour des activités du quai avait aussi été abandonné. Il ne restait, dans ce secteur, que le musée en mémoire du naufrage de l'Empress of Ireland. La catastrophe, survenue au début du XXe siècle, avait été l'une des plus terribles de l'histoire maritime. Sans avoir frappé l'imagination autant que la perte du Titanic, l'accident de l'Empress of Ireland était un drame similaire. Des milliers de personnes avaient péri en pleine nuit dans des eaux glaciales et noires.

Mais ces souvenirs n'intéressaient pas Alex qui gardait les yeux fixés sur l'homme inconscient ligoté au fond du camion. C'était son tour. Et dans ses yeux, on pouvait lire la haine. Dans quelques heures, l'homme ne serait plus qu'un cadavre abandonné à son tour à la nature. Du moins aussi longtemps que la dépouille ne serait pas trouvée.

La camionnette se gara derrière l'ancienne usine où on ne notait aucun signe de vie. L'endroit était parfaitement désert. On entendait seulement le vent soufflant de la mer et le bruit des vagues qui s'écrasaient sur les rochers. Sans douceur, on transporta le prisonnier à l'intérieur, où il fut accroché par les bras à un crochet qui avait autrefois été utilisé pour déplacer les caisses de poissons que les pêcheurs apportaient chaque jour. Aujourd'hui, seule une odeur de moisissure rappelait encore cette époque révolue.

Ils étaient quatre autour de l'homme. Outre Lou et Alex, il y avait Jean-Philippe et Lucie, sa compagne.

Dans leurs yeux non plus, on ne voyait aucune pitié. La sentence avait été rendue. On allait maintenant l'appliquer.

Pendant qu'Alex lançait un sceau d'eau au visage du prisonnier pour le réveiller, Jean-Philippe commençait à le dévêtir alors que Lou lui liait les jambes. Lentement l'homme reprit ses esprits. Sa position était très inconfortable. Pendu par les bras, il regardait ceux qui l'entouraient. Il cherchait à comprendre ce qui se passait. Qui étaient ces personnes ? Que lui voulaient-elles ?

Aucune parole n'était prononcée. Les « bourreaux » se préparaient et chacun connaissait son rôle.

— Qu'est-ce que vous me voulez ? demanda l'homme.

Silence.

— Pourquoi m'avez-vous amené ici ? demanda-t-il encore.

Silence.

— Qu'est-ce que vous faites ?

Le silence régnait toujours mais ses ravisseurs bougeaient. L'homme venait de voir Jean-Philippe approcher, des pinces à la main. L'outil était tendu vers les orteils de l'homme, qui comprit enfin ce qu'on comptait lui faire.

— Laissez-moi, hurla-t-il en se débattant.

Les pinces approchaient inexorablement et se fermèrent sur l'un des orteils de l'homme. Un à un, ils furent broyés dans les cris de souffrance qui ne couvraient pas celui des os écrasés.

La nuit s'annonçait longue.

Chapitre 10

Il était près de trois heures trente du matin. Comme toutes les nuits, Michel et Régis, pour leur pause, avaient stationné leur ambulance près du restaurant de beignes ouvert vingt-quatre heures. Michel se préparait à avaler son deuxième beigne fourré à la fraise pendant que Régis terminait sa collation et son café. La nuit était aussi claire et limpide qu'on pouvait le souhaiter. La lune se reflétait sur le fleuve comme un long cierge dont elle aurait été la flamme. C'était l'une des rares nuits où il était possible de voir les lumières sur l'autre rive du fleuve.

— Je me demande si ce sont les lumières de Baie-Comeau qu'on voit de l'autre côté, demanda Michel.

Ça faisait des années qu'il vivait à Rimouski et jamais il n'avait pris le traversier pour aller visiter la Côte-Nord. Il ne savait pas trop pourquoi. Tout le monde disait que c'était très beau. Qu'on y voyait plein de montagnes, des routes étroites qui longeaient le fleuve, de petits villages pittoresques. On disait aussi que les gens y étaient chaleureux et accueillants. Bref, ça aurait pu être intéressant d'y aller sauf que l'occasion ne s'était jamais présentée.

— Ben, y paraît que quelque part, c'est Baie-Comeau, lui répondit Régis. Mais je sais pas où. On voit plein de petites lumières. Ça pourrait être n'importe quoi.

Régis avait changé durant les derniers jours. Il était plus renfermé. Plus taciturne. Michel savait très bien que les images des trois cadavres qu'ils avaient dû transporter à la morgue le hantaient encore. Il savait, pour l'avoir vécu, qu'il faut du temps pour que la mémoire embrouille les images et que l'horreur laisse la place à une histoire. Il savait qu'il en faudrait encore plus pour que ça ne devienne plus qu'une simple anecdote.

Les « Gymnopédies » d'Erik Satie jouaient. Michel adorait cette musique. À la fois si triste et si vivante. Cet air venait le chercher profondément. Ce qui n'était pas le cas de Régis, qui aurait souhaité autre chose, sauf que ce soir, Michel avait le choix. C'était la règle. Tous les deux étaient perdus dans leurs pensées quand la radio grésilla.

— Voiture douze… Urgence.

— Voiture douze à l'écoute, répondit Michel.

— Rendez-vous à l'ancienne usine de pêche.

Michel regarda Régis qui lui fit signe qu'il connaissait l'endroit.

— Bien compris, centrale. C'est parti. Qu'est-ce qui se passe ? Un accident ?

— Un appel de la police. On a trouvé un cadavre. Contactez-nous après votre intervention.

— Parfait, répondit Michel.

Il alluma les gyrophares, fit démarrer l'ambulance et quitta le stationnement pour se rendre dans le secteur du vieux quai.

— Est-ce que ça va être la même chose ? demanda Régis anxieux.

— Honnêtement, j'en sais rien. Mais y a de bonnes chances… Ça ressemble à ça. C'est le genre d'affaire qui vient jamais seule.

L'ambulance fonçait dans la nuit, presque seule sur la route.

***

Ève Saint-Jean examinait le cadavre. Tony et elle avaient été contactés par le capitaine Dufour. Il leur avait expliqué qu'en voyant le cadavre il avait immédiatement compris qu'on était en présence du même genre d'assassinat que pour les trois autres victimes. Un crime rituel. Cruel et singulièrement odieux. Ève devait convenir que le type, toujours suspendu par les bras, devait en avoir bavé un coup avant de succomber. Les similitudes entre les crimes étaient flagrantes. L'homme, ou ce qu'il en restait, était nu. Ses vêtements avaient été abandonnés un peu plus loin. Probablement à cause de sa position, ce sont ses orteils plutôt que ses doigts qui avaient été brisés. Le pénis avait été tranché et gisait dans une mare de sang aux pieds du cadavre. Une balle lui avait été tirée à bout portant dans la tête. De face cette fois et de bas en haut. Probablement toujours à cause de sa position, accroché qu'il était comme une pièce de bétail. Il ne restait plus grand-chose du visage et de la tête. On avait certainement utilisé le même type d'arme que pour les meurtres précédents. Le crime était récent puisque le sang commençait à peine à noircir et à coaguler.

— Est-ce qu'on peut déterminer à quelle heure il est mort? demanda Ève au docteur L'Écuyer.

— D'après la rigidité du corps et la température du foie, je dirais qu'il a succombé entre minuit et une heure du matin. Je ne pourrai pas être plus précis après l'autopsie, dit le légiste. Mais, si je me fie à ce que je vois, ça doit faire un peu plus de deux heures.

— D'après les premières observations, est-il possible d'avancer la cause du décès?

— Difficile à dire. Il est passablement amoché. Et comme il s'agit d'un homme dans la fin quarantaine ou début cinquantaine, il pouvait moins facilement résister à ce que les agresseurs lui ont fait subir que les trois jeunes hommes de l'entrepôt. À première vue, on pourrait croire que c'est encore une fois la balle dans la tête qui l'a achevé.

— Vous n'êtes pas certain qu'il ait survécu jusqu'à ce qu'on lui tire une balle dans la tête? demanda Palomino qui s'était joint à la discussion.

— J'ai un doute. L'autopsie le confirmera, mais j'ai l'impression que le cœur a lâché avant. De toute façon, entre la crise cardiaque, si elle a eu lieu, et la balle qui lui a emporté la moitié du visage, il n'a pas dû y avoir beaucoup de temps... Ce qui est certain, c'est qu'on ne lui a pas fait de cadeau. À mon avis, les meurtriers ont été encore plus vicieux que l'autre fois. Bon, j'admets qu'il est difficile de graduer ces niveaux d'horreur et de souffrance, mais quand même...

L'Écuyer s'approcha du corps qu'il examina encore.

— Regardez, reprit le docteur, ceux qui ont fait ça, si ce sont les mêmes, ont tenté de faire durer les souffrances plus longtemps.

Il montrait du doigt certaines lacérations sur les jambes et les fesses.

— C'est probablement très souffrant, mais pas mortel. Je ne sais pas si on voulait lui faire dire quelque chose, mais, si c'est le cas, je peux vous jurer que moi j'aurais parlé.

Julien Dubuc venait d'arriver. Il avait encore les yeux gonflés de sommeil. Il examinait les lieux en tentant de se faire une idée de la façon dont les choses avaient dû se passer.

— Ça ressemble vachement à l'impression que j'ai eue en regardant les photos des autres meurtres, dit-il sans s'adresser à personne en particulier. Une espèce de sacrifice...

Dubuc se joignit aux détectives en se frottant toujours les yeux. Puis, passant à côté de Tony Palomino, il lui dit :

— Super les souliers Prada. Surtout ici. C'est très classe.

Ève sourit de toutes ses dents alors que Palomino leva simplement les yeux au ciel en espérant qu'il n'aurait pas à collaborer avec la version masculine de sa partenaire.

Dubuc fit ensuite le tour du cadavre, s'arrêtant pour jeter un coup d'œil au pénis qui baignait dans une petite mare de sang sur le plancher sale et humide.

— Est-ce qu'on sait de qui il s'agit ? demanda Dubuc.

— Pas encore. Comme pour les autres, les papiers d'identité ont été emportés, lui répondit Ève. Mais les technos ont pris les empreintes digitales qui sont déjà parties pour identification. Si notre bonhomme a un casier, nous aurons une réponse très bientôt.

Palomino s'éloigna un peu pour aller retrouver Dufour qui parlait avec les policiers qui avaient fait la découverte. Il entendit le capitaine demander aux deux policiers à quelle heure ils étaient arrivés sur les lieux.

— On était en patrouille sur la 132 quand on a reçu l'appel. Il ne devait pas être tout à fait trois heures du matin quand on est entrés ici.

— Qui a téléphoné ? demanda Tony.

— Ce sont des voisins qui rentraient après une soirée chez des amis. Ils ne savent rien. En fait, en passant, ils ont vu une camionnette qui sortait de la vielle usine. Comme personne vient plus jamais ici ils ont pensé que des jeunes faisaient du vandalisme, squattaient ou prenaient de la drogue. En tout cas, ils ont prévenu le quartier général pour qu'on vienne faire un tour.

— Quelqu'un est parti prendre leur déposition, compléta Dufour en se tournant vers Palomino. On sait déjà de quel type de véhicule il s'agit et j'ai passé le mot à tout le monde pour intercepter et faire une vérification auprès de toutes les camionnettes qui ressemblent à la description.

— Excellent, commenta Palomino. Y avait-il effectivement quelqu'un quand vous êtes arrivés ? demanda-t-il aux policiers.

— Personne, répondit le premier policier. On est venus faire un tour parce qu'il y avait rien de spécial cette nuit. On sait très bien que des jeunes utilisent la bâtisse de temps en temps pour prendre un verre ou faire une initiation quelconque. C'est un endroit désagréable, sombre et qui pue toujours. L'endroit idéal pour les étudiants de l'université qui ont un sens de l'humour étrange pour leurs initiations.

— On croyait que c'était quelque chose dans ce genre, ajouta le second policier. Quand on est arrivés, il y avait pas de voiture et pas de lumière. On a fait le tour avec l'auto-patrouille et on a décidé de regarder à l'intérieur. Mais c'était vraiment la routine. Juste pour nous assurer que rien ne clochait.

— Ça pas été long pour trouver le bonhomme accroché. Ça flanque un coup. On s'est juste assurés qu'il était pas vivant et on a prévenu la centrale.

— Est-ce que quelqu'un a examiné les alentours pour trouver des traces de pneus ? demanda Tony au capitaine.

— J'ai une équipe qui fait le tour avec les gars de la Sûreté du Québec et prend des photos de toutes les traces qui s'y trouvent. Ça pourrait être un coup d'épée dans l'eau. Y a beaucoup de gens qui viennent encore ici stationner leur auto pendant qu'ils vont pêcher. On aura probablement plus de résultats en partant de la description de la camionnette.

Les ambulanciers, qui venaient d'entrer, s'approchèrent de Dufour.

— Salut sergent, bonsoir Pierre, dit Michel en s'approchant du capitaine. La réputation de tranquillité de Rimouski me semble bien surfaite cette semaine. Pas vrai ?

— C'est le moins qu'on puisse dire, répondit Tony. J'me sens pas trop dépaysé…

— Faut pas dire ça, répliqua l'ambulancier. Ça n'a rien à voir. Ici, c'est l'exception ces histoires, alors que si mes souvenirs sont exacts, je voyais ça à toutes les semaines à Montréal.

— Vous avez raison. Et j'espère que ce sera la dernière.

— Y faut que vous trouviez qui a fait ça. Faut pas que ce genre de règlement de comptes devienne une habitude chez nous, ajouta Michel.

— Parce que vous pensez que c'est un règlement de comptes ? demanda Tony.

— Ça y ressemble. J'ne dis pas que c'est quelque chose entre les motards et la mafia. Pas nécessairement. En fait, ça ressemble pas trop au genre de travail des motards ou de la mafia, si vous voulez mon avis. Mais ça ressemble à un règlement de comptes. Ça c'est sûr.

— Ouais, dit simplement Palomino, songeur.

— Bon, c'est pas tout, ça, mais on a du travail. Est-ce qu'on peut amener le corps ? demanda Michel au capitaine Dufour.

— Probablement. Confirme avec les gars de scènes de crimes pour être certain qu'ils ont tout ce qu'il leur faut. Si c'est le cas, amenez le gars à la morgue.

Pendant que Michel et Régis s'approchaient du responsable de la scène de crime, Palomino demeurait pensif. Un règlement de comptes, mais pas entre les gangs criminalisés... Quel autre genre de règlement de comptes peut-il y avoir ? se demandait Palomino. Qu'est-ce que les victimes ont bien pu faire pour mériter ce genre de traitement ? Est-ce que ça ne ressemblerait pas davantage à de la vengeance ? Il faut vraiment qu'Ève et Dubuc fouillent le passé des victimes pour découvrir si la solution est là, se dit-il.

***

Alex revenait à la maison après avoir laissé les autres. La séparation s'était faite sans un mot. Comme convenu. Chacun d'eux se débarrasserait de ses vêtements tachés de sang et les ferait disparaître. Il n'en resterait rien. Avant de revenir à la maison, Alex avait fait le détour pour cacher les armes.

Alex avait laissé les lumières éteintes et se préparait à prendre sa douche. Les images de la nuit lui revenaient « sur l'écran noir de ses nuits blanches » comme le chantait Nougaro. L'homme avait souffert. Il avait hurlé comme un cochon qu'on égorge. L'analogie l'avait fait sourire car c'était vraiment un porc. Aucun doute dans son esprit. Moins qu'un porc, en fait. Aucun animal ne ferait jamais ce qu'il avait fait. Il n'y a que l'homme qui peut s'abaisser à de tels actes. Qui peut être aussi… inhumain. Étonnante contradiction dans le fait qu'il n'y a que l'homme qui peut être inhumain… Dommage surtout que le bonhomme ait succombé un peu plus tôt que prévu. Mais bref… ce n'était pas bien grave.

Alex se souvenait avoir lu que la violence est le refuge des imbéciles. La phrase semblait vraie à l'époque mais aujourd'hui, le doute s'installait dans l'esprit d'Alex. Il existe des gens pour qui emprunter la route de la violence et la suivre à leur tour devenait parfois la seule façon de se faire entendre. Même si cette voie était haïssable, il fallait parfois la prendre et il y avait longtemps déjà qu'Alex avait accepté de se détester et de ne plus se respecter, d'être aussi un monstre.

* * *

La nuit avait été courte. Encore… Le soleil n'était pas levé depuis bien longtemps que Tony Palomino se rendait au briefing prévu pour ce matin. Il ne fut pas du tout surpris que tout le monde soit déjà arrivé. Lui-même n'avait pas vraiment dormi. Toutefois, alors que les autres étaient fripés et semblaient avoir pris du repos dans le fond du coffre d'une voiture, Palomino, comme toujours, faisait un contraste étonnant. Il portait un costume Bonacelli en soie et cachemire qui paraissait aussi incongru ce matin que la toge d'un évêque dans le bar de Dumas. Il donnait, plus que jamais, l'impression d'être une vedette internationale s'apprêtant à aller recevoir l'Oscar du meilleur acteur. Pendant un instant, tout le monde resta sans voix. Puis Ève et Julien, sans s'être consultés, se mirent à siffler et à applaudir comme les groupies d'une star. Mais Palomino était impérial et insensible aux sarcasmes du petit peuple.

Il y avait plus de monde que d'habitude à cette réunion. Le capitaine Dufour était entouré de quelques hommes de son équipe, alors que L'Écuyer discutait avec le légiste de la Sûreté du Québec, arrivé en renfort cette nuit, et que Taschereau, toujours au téléphone, répondait aux demandes des journalistes. D'entrée de jeu, Tony prit les commandes.

— Alors, on sait qui est notre cadavre? demanda-t-il.

— Tout un numéro, répondit l'un des hommes de Dufour. Il a un casier à faire pâlir d'envie n'importe quel mafioso...

Se rappelant que Palomino était d'origine italienne, il sentit le besoin de rajouter: « soit dit sans vous vexer, évidemment ».

— Bon! Bon! dit Tony. Alors de qui s'agit-il?

— Stan Fortier, précisa le policier. Cinquante-deux ans. Il était installé à Rimouski depuis moins de deux ans. Auparavant, on retrouve sa trace à Québec, à Montréal, à Toronto, et même à Vancouver. Il a été mêlé à peu près à tout ce qu'il y a de criminel. La drogue, le jeu, le vol, le recel, etc. En plus, il est en contact avec tous les groupes criminalisés au pays. On sait pas bien cependant quel genre de services il pouvait bien leur rendre. Il est aussi reconnu pour ses penchants pédophiles. On l'a soupçonné d'une série d'attentats il y a quelques années. Des crimes parfaitement violents et odieux sur un grand nombre de jeunes dont certains vraiment très jeunes. Mais il s'en est tiré car on manquait de preuves. Son nom a aussi été avancé il y a quelques mois dans l'histoire d'un réseau de pornographie infantile et de pédophiles qui agissait sur Internet. Un réseau mondial qui opérait à partir de Toronto. Mais là encore, on a manqué de preuves.

— Un autre beau p'tit bonhomme, constata Palomino. On sait ce qu'il faisait à Rimouski?

— Rien ne prouve, dit Dufour, qu'il était associé à la drogue et à Dumas. Mais rien ne prouve le contraire non plus. Il s'était fait discret dernièrement.

— Y a une bonne raison pour ça, lança Ève Saint-Jean qui consultait son ordinateur. Il a passé plusieurs semaines en Afrique. Il était de retour depuis trois semaines seulement.

— Et qu'est-ce qu'il foutait en Afrique ? interrogea Tony.

— On n'en sait rien, mais il est resté plusieurs semaines au Sénégal, dit Ève.

— Au Sénégal ? demanda Julien Dubuc. Tiens, tiens ! Savez-vous que depuis quelques années, on craint que le tourisme sexuel soit en pleine expansion au Sénégal ? C'est un peu le cas d'ailleurs de tous les pays où on trouve de la pauvreté. Les réseaux de pédophiles s'y installent et font la promotion de ces destinations sur Internet. Ceux qui n'ont aucun scrupule peuvent y bâtir des fortunes, dit-on.

— Alors, conclut Tony, même s'il n'y a aucune preuve là non plus, on peut présumer qu'il ne s'est pas rendu en Afrique simplement pour faire du tourisme et visiter des sites archéologiques… Je pense que l'hypothèse de crimes ayant une relation avec le passé sexuel des victimes ne peut plus être écartée.

— Faut quand même faire attention, ajouta Dubuc, parce qu'on sait que la mafia tente de structurer le marché des transplantations d'organes. Or, c'est aussi dans les pays pauvres qu'on recrute les donneurs. Et quand je dis « recrute » il faut bien se comprendre. Le consentement du donneur n'est pas toujours essentiel. C'est tout à fait le genre d'expertise que pouvait avoir notre client.

Un coup d'œil autour de la table confirma que tout le monde était d'accord.

— Je ne crois pas qu'il faille laisser tomber la question de guerre de territoire quand même, ajouta Dufour. La stratégie de travailler les deux options de front doit continuer à prévaloir.

— Tout à fait d'accord, dit Dubuc. De votre côté, vous pouvez tenter d'établir un lien clair entre Fortier et l'un des groupes criminalisés du coin. De notre côté, on va accélérer les recherches pour dénicher des informations sur le passé pédophile de tout ce monde.

— Je pense qu'il faut absolument trouver quelque chose sur les victimes de nos victimes, compléta Palomino. J'ai le pressentiment qu'on est face à des crimes commis par vengeance. Est-ce qu'on a autre chose sur la victime de cette nuit ? Avez-vous découvert des éléments nouveaux, docteur ?

— On travaille toujours à compléter l'autopsie. Mais tout semble indiquer, comme je le mentionnais hier, que notre bonhomme est mort d'une crise cardiaque. Il est vraisemblable que la douleur ait été trop forte et qu'il n'ait pu résister. La balle a simplement confirmé ce qui était déjà une réalité. Je peux aussi vous dire qu'à regarder les organes du monsieur, pas étonnant que le cœur ait flanché d'abord. Tout était vieilli prématurément. Alcool, cigarettes, drogues, excès de toutes sortes, le Fortier n'avait pas une vie très saine. Il brûlait la chandelle de toutes les façons imaginables. Si on ne l'avait pas tué la nuit dernière, il est fort probable qu'il n'aurait pas vécu encore longtemps. On attend les résultats, mais un cancer serait aussi dans le portrait.

— Dans le fond, ils lui ont fait une fleur ? Qu'est-ce qu'on a d'autre ?

— On a trouvé une camionnette qui pourrait bien être celle utilisée par les meurtriers, ajouta Dufour. On l'a fait transporter immédiatement au laboratoire de la SQ à Québec. Mais on n'aura pas de résultats avant plusieurs heures.

— Excellent, dit Palomino. Vos gars ont fait de l'excellent travail. Et je suppose que l'écoute électronique n'a encore rien donné ?

— Dans le mille, répondit Dufour. Tout le monde est bien tranquille et au-dessus de tout soupçon. Mais on continue à tout écouter. Les lignes des portables devraient aussi être sous écoute plus tard dans la journée.

— Voilà. Tout le monde a du travail. Il faut avancer. Je propose qu'on fasse un nouveau bilan en fin de journée.

— Et je ne veux pas avoir les journalistes dans les pattes aujourd'hui, dit-il en s'adressant à Taschereau. Et toujours pas un mot sur la possibilité de crimes liés au passé sexuel des victimes. Puisque vous leur avez généreusement parlé de drogues, il faut continuer dans cette voie.

— Mais les journalistes s'attendent à une conférence de presse aujourd'hui. D'autant plus qu'ils savent qu'un autre meurtre a été commis cette nuit.

— Y pas de raison pour qu'ils fassent le lien entre les deux meurtres... À moins, bien entendu, que vous leur en fassiez la suggestion... dit-il en le fusillant du regard.

Comme si cette seule phrase avait été un signal, tout le monde s'était levé pour aller poursuivre les recherches. Quand Ève et Dubuc passèrent à côté de Taschereau, la policière se tourna vers Julien.

— Tu sais, dit-elle sur le ton de quelqu'un qui parle d'une anecdote sans grand intérêt, que la dernière fois que Tony a pris un gars des « coms » en grippe, le gars s'est retrouvé à la circulation ? Je pense d'ailleurs qu'il y est toujours, ajouta-t-elle en laissant derrière elle Taschereau, catastrophé.

***

Palomino n'était pas encore rendu à son auto que son téléphone sonnait. Il prit quelques instants pour regarder de qui provenait l'appel. Il n'avait surtout pas envie d'avoir sa mère au bout de la ligne. Mais le numéro ne lui disait rien. Aussi se décida-t-il d'y répondre.

— Sergent-détective Palomino.

— Sergent c'est Dumas... Le gars du bar... Vous me replacez ?

— Absolument, parce que sans vouloir faire un mauvais jeu de mots, vous prenez beaucoup de place dans ma vie actuellement.

— Écoutez sergent. Je voudrais vous rencontrer. Seul à seul.

— Je peux aller vous voir tout de suite, si vous voulez.

— Non... Pas au bar. Surtout pas. Je vous rappelle cet après-midi pour vous dire à quel endroit. J'ai un marché à vous proposer.

— Je serai libre vers quinze heures. Contactez-moi.

— Parfait, répondit Dumas en raccrochant.

Voilà autre chose, se dit Palomino. Qu'est-ce que ça cache ? Dumas avait-il décidé de changer de stratégie et de collaborer avec la police ? Quoi qu'il en soit, il irait le rencontrer aussitôt qu'il lui ferait signe. Ça, au moins, c'était certain.

***

Ève regardait avec découragement les caisses de dossiers qui s'accumulaient maintenant dans le bureau qu'elle partageait avec Julien Dubuc. Alors que Julien tremblait littéralement d'excitation à l'idée de ces centaines de dossiers à analyser, Ève sentait la nausée qui montait.

— Fantastique, dit Julien. Impossible de pas trouver ce qu'on cherche dans toute cette littérature. Tu te rends compte, Ève, la vie de plusieurs personnes s'étale devant nous et nous avons la chance de tout regarder, de tout analyser, de tout passer au crible. Fantastique !

— J'peux pas dire que je partage complètement ton enthousiasme. Y me semble que ce serait plus excitant de regarder sécher la peinture que de fouiller là-dedans. Mais bon... Est-ce que j'ai le choix ?

— Voyons, prends pas ça comme ça. Moi, ce genre de travail me passionne. C'est ici qu'on trouve la vérité. C'est ici qu'on va commencer à comprendre le massacre des derniers jours.

— T'aurais pas un côté « voyeur » par hasard ? Bon... Autant commencer tout de suite si on veut en finir, ajouta Ève en saisissant une pile de dossiers. Puisqu'une ou des aiguilles se cachent dans ces dossiers, tentons de les trouver.

Chapitre 11

Vince Capelli s'était déniché une résidence passablement luxueuse qui lui convenait assez bien, même si elle était un peu trop isolée à son goût. Pas question pour lui de demeurer dans un des petits hôtels de Rimouski. Quand même. La maison dominait le petit village du Bic et offrait une vue exceptionnelle sur le fleuve. Mais Capelli ne regardait pas le fleuve. Ça ne l'intéressait pas. Il s'amusait pour le moment à jouer au poker par Internet. Un simple jeu où on pariait de l'argent fictif. Ça pourrait être intéressant, se dit-il, de faire le même genre de site, mais dans lequel les gens pourraient jouer (et perdre) leur propre argent. Du vrai argent qui pourrait venir augmenter les coffres de l'organisation.

Ça existait certainement d'ailleurs, se dit-il en y repensant. Ce n'est pas parce que lui ne s'y était pas intéressé que d'autres n'avaient pas déjà mis en place ce genre de casino. Il faudrait qu'il se renseigne.

Il ne s'était pas passé grand-chose depuis la veille. Bien entendu, la radio ne parlait que de ce quatrième meurtre survenu la nuit précédente dans la région. Les policiers avaient fini par donner l'identité de la victime. Vince le connaissait. Il savait reconnaître une fripouille quand il en voyait une. Ce Fortier était probablement l'une des crapules les plus abominables qu'il ait connue. Un cancrelat. La seule fois où il l'avait rencontré, ce type l'avait dégoûté. C'était de la vermine. Le pus du mucus d'un verre de terre sidéen était préférable à ce gars. S'il n'avait pas fait des affaires avec son patron, il l'aurait assurément fait descendre immédiatement sans réfléchir davantage. Il aurait pu se dire qu'il faisait une faveur à l'humanité. Mais l'homme travaillait sur un dossier avec son patron. Ce qui signifiait qu'il y avait certainement de l'argent en jeu. Mais Vince n'avait jamais su de quoi il s'agissait.

« Alors cette pourriture est morte... Eh bien, tant mieux » se dit-il.

Le téléphone sonna.

— Salut patron, lança Vince, sachant d'avance qui lui téléphonait.

— Comment ça se présente ? demanda Moresmo.

— Pas vite... Santa Madonna, personne ne sait rien de rien dans ce foutu bled.

— Alors, passe à l'étape suivante. Si Pop veut la bagarre, il la trouvera.

— Écoutez, Don Moresmo, je ne crois pas qu'il s'agisse d'un coup pour développer un territoire. Je pense qu'il s'agit d'une toute autre histoire.

Vince Capelli hésitait à dire à son patron qu'il tenait cette partie d'information d'un ancien voisin devenu officier de la Sûreté du Québec. Il était certain que Palomino lui avait dit la vérité. Que pour le moment du moins, tout le monde ici se foutait de la guerre de gangs. Les policiers voulaient surtout éviter qu'une tuerie ne survienne. À cet égard, Vince était aussi d'accord. Il ne voulait pas entreprendre quelque chose pour une sale bête. Ça ne le dérangeait pas beaucoup de se battre et même de tuer s'il le fallait. Mais pas pour un canasson de merde. Or, d'après les discussions qu'il avait pu avoir avec tous ses contacts, il s'agissait de complètement autre chose que de trafic de drogue.

— C'est toi qui vas m'écouter, dit Moresmo. On ne m'attaque pas sans en subir les conséquences. Je me foutais éperdument de la Gaspésie jusqu'à la semaine dernière. Mais si on veut s'attaquer à moi, nous répondrons de la même manière que nous l'avons toujours fait. Œil pour œil, dent pour dent.

— Qu'est-ce que vous voulez que je fasse? J'peux quand même pas anéantir tout le monde dans la région. Pour un cheval en plus!

— Tu vas voir s'il est possible pour nous de récupérer ce territoire et de sortir ces pouilleux de motards de toute la région. Voilà ce que tu peux faire. Et si ça veut dire d'éliminer quelques-uns de ces pourris, ce sera le prix qu'eux-même auront choisi. Vu?

— Je vais voir ce qu'il y a à faire. Mais je vais le faire à ma manière. Je suis surtout pas convaincu qu'on ait intérêt à débuter une guerre pour un secteur dont nous ne voulons pas de toute façon. Vous m'avez toujours fait confiance… Alors laissez-moi un peu de corde. Par ailleurs, j'imagine que vous êtes au courant que Fortier s'est fait descendre cette nuit?

— Cette merde ne travaillait plus pour nous de toute façon. Bon débarras… D'accord Vince. Fais comme tu l'entends. Mais pas trop longtemps. Et j'espère que j'aimerai ta solution.

Il raccrocha, laissant Capelli seul à écouter la tonalité. Il fallait agir. Les chefs étaient loin et avaient été atteints dans leur fierté. Pop s'était fait tuer trois gars et Moresmo un cheval. En plus, on l'avait menacé. Dans les deux cas, il s'agissait de l'image et du principe. Vince était convaincu qu'au fond les motards se moquaient complètement des trois types qui étaient morts. Tout comme la mort du cheval ne toucherait pas Moresmo bien longtemps. Mais si tout le monde savait qu'on pouvait les attaquer sans danger, là, les vrais problèmes commenceraient.

— Franky, cria Vince.

Un type costaud et à l'air débrouillard entra dans la pièce.

— Franky, répéta Vince, tu vas t'arranger pour que je puisse avoir une petite discussion avec Big qui est quelque part à Rimouski. Je veux une rencontre. Seulement lui et moi. Accepte toutes les mesures de sécurité raisonnables qu'il exigera. Je veux pas de coup fourré. Il faut que je lui parle directement.

— Je m'en occupe. Immédiatement.

Restait à espérer, se dit Capelli, que Big soit aussi raisonnable et intelligent qu'on disait. Sinon, Rimouski ça deviendrait vraiment la merde.

***

Le sergent Palomino attendait dans sa voiture près du petit quai à l'entrée de Rimouski. Dumas lui avait demandé de venir le rejoindre vers seize heures. De l'endroit où il se trouvait, il pouvait examiner le secteur qui semblait tranquille. Dumas n'était pas encore arrivé. Mais il n'était que quinze heures quarante-cinq. Tony avait encore quelques minutes devant lui pour s'assurer qu'on ne lui tendait pas un piège. Il vit alors la camionnette du gros Dumas s'approcher sur le petit quai. Dumas examinait aussi les lieux. Prêt à partir sur les chapeaux de roues s'il le fallait. Mais tout avait l'air tranquille.

Tony, qui avait un meilleur point d'observation, remarqua qu'au moins un autre véhicule suivait Dumas. Ce dernier s'était arrêté une centaine de mètres derrière Dumas et attendait aussi.

Tony prit son portable et composa le numéro de Dumas.

— Écoute Dumas, tu es suivi. Alors voici ce que tu vas faire. Dans une quinzaine de minutes, sur mon signal, tu sortiras lentement du stationnement. Tu rouleras normalement comme si tu faisais une promenade. Puis tu prends à droite en direction du Bic. Je te contacterai pour te dire où te rendre. Je vais m'occuper de tes surveillants. Compris ?

— Comment, j'ai pas réussi à les semer ? J'veux pas de complications, lui répondit Dumas. On est mieux de tout oublier…

— T'auras pas de problème si tu fais ce que je te dis.

Il raccrocha pour téléphoner au capitaine Dufour.

— Capitaine, c'est Palomino. J'ai un autre service à vous demander. Il faut immédiatement mettre en place un barrage sur la 132 à la sortie de Rimouski. Quelque chose comme la vérification des ceintures de sécurité. Ou l'alcool au volant. Ce que vous voudrez. Il s'agit de laisser passer Dumas et de ralentir ses poursuivants suffisamment longtemps pour que je puisse lui fixer un autre rendez-vous. Mais il faut le faire tout de suite. Je vous ferai savoir quelles voitures arrêter…Merci capitaine.

***

Alex se préparait un casse-croûte avant de partir au travail. La routine du boulot était la seule chose normale dans sa vie. Comme un oasis qui permettait de ne pas réfléchir. En tout cas pas trop. Sa veste dans une main et les clés de la voiture dans l'autre, Alex se préparait à sortir quand le téléphone sonna. Probablement encore de la sollicitation téléphonique.

— Allo !

— Alex, c'est moi… Lou.

— Pas au téléphone. Viens me trouver immédiatement à notre restaurant. J'ai quelques minutes avant de commencer à travailler. Tout de suite Lou, ajouta Alex en posant le combiné.

***

Tout était en place. Tony venait de donner le coup d'envoi en demandant à Dumas de démarrer doucement. Il était en communication directe avec les policiers qui avaient, en un temps record, établis un barrage sur la 132. Ils vérifiaient toutes les voitures, demandant parfois les papiers aux conducteurs. Ils étaient installés depuis seulement quelques minutes que déjà un bouchon se formait.

Palomino suivait, à travers ses jumelles, la camionnette de Dumas qui tout doucement se mettait en ligne dans la file des autres véhicules. L'inspecteur remarqua aussi deux voitures qui suivaient la camionnette. Il donna les instructions aux policiers pour qu'on intercepte ces voitures et qu'on les retarde, au moins de quelques minutes. Le temps pour indiquer un nouveau rendez-vous à Dumas. Il saisit son téléphone pour contacter l'obèse.

— Dumas, tout de suite après la vérification des policiers, tu continueras, lui dit-il aussitôt que l'autre répondit. N'accélère pas inutilement. Il faut que ceux qui te suivent pensent que tu te balades. À un kilomètre, tu verras une petite route sur ta droite. Un chemin privé. Tu le prends et tu descends la route de terre jusqu'au fleuve. Là, tu m'attends. C'est clair ?

— Oui, inspecteur. Vous pensez qu'on va pouvoir les semer ?

— Fais ce que je te dis. Je m'occupe du reste.

Tony suivait, avec ses jumelles, les voitures dans le goulot que formait le point de vérification des policiers. Quand Dumas arriva, quelques secondes suffirent pour qu'il puisse repartir. Doucement. Comme convenu. Puis, les policiers ralentirent le rythme. Ils procédèrent à quelques vérifications supplémentaires auprès des conducteurs des véhicules qui se trouvaient entre Dumas et ceux qui le suivaient. Dumas gagna ainsi une dizaine de minutes. Largement suffisant pour qu'il disparaisse. En tout cas, Tony l'espérait.

L'inspecteur quitta ensuite son point d'observation et, par un autre itinéraire, alla retrouver le gros qui l'attendait déjà.

L'endroit où les deux hommes avaient rendez-vous lui avait été indiqué par Michel Langlois, l'ambulancier. Il l'avait découvert tout à fait par hasard alors qu'il se promenait. La petite route l'avait intriguée et il avait décidé d'y descendre. En bas, un sentier, à peine assez large pour une voiture, longeait une rangée de petits chalets qui faisaient face au fleuve. Pas de somptueux châteaux. De véritables petits chalets rustiques. Puis, au bout de cette allée, il avait découvert que quelqu'un avait transformé un vieil autobus en petite maison. L'autobus était une véritable pièce de collection.

Il avait probablement terminé son service actif dans les années 50. Michel était tombé immédiatement amoureux de cet endroit original et isolé. Il lui avait fallu plusieurs mois pour convaincre le propriétaire de l'autobus de le lui vendre. Mais il avait enfin réussi. Il y passait maintenant ses moments libres. Rien de prétentieux. Que le calme simple et la beauté du fleuve. Un seul inconvénient l'embêtait toujours. La voie ferrée passait à moins de cinq mètres de son chalet.

Quand il y avait couché pour la première fois, un train était passé au milieu de la nuit. Michel s'était réveillé en sursaut, convaincu que son autobus avait été transporté directement sur la voie ferrée. Par quel miracle ? Il n'en savait rien. Le bruit était assourdissant. Tout tremblait. Il était terrorisé. Jusqu'à la dernière seconde, il était convaincu que le train allait emboutir son autobus et qu'il mourrait. Évidemment, rien de tout ça ne s'était produit mais il avait ensuite mis beaucoup de temps à se rendormir, sursautant au moindre bruit. Il avait fallu quelques nuits mais il avait appris à apprécier les passages des trains, même en pleine nuit. Bref, il adorait ce petit coin. Adoration que ne partageait d'ailleurs pas sa femme, mais que Tony, lui, appréciait à cause de la discrétion de l'endroit qui lui permettait d'avoir une petite réunion confidentielle avec Dumas.

Dumas aurait voulu qu'ils puissent discuter à l'intérieur, mais, Palomino s'en rendit compte immédiatement, un problème élémentaire de physique, lié à l'étroitesse de l'autobus et au volume de Dumas, ne permettrait jamais que l'un pénètre dans l'autre. Ils s'étaient donc attablés à l'extérieur.

— Merci d'avoir accepté de me rencontrer, inspecteur. Je suis… disons… dans une situation délicate actuellement. J'peux pas vous expliquer ce qui se passe, mais il faut que je disparaisse très rapidement et probablement définitivement.

— Et qu'est-ce que j'ai à voir dans ça ? demanda Tony.

— Si la police m'aide à... comment dire... repartir à neuf avec une autre identité, je pourrais vous donner des renseignements sur le trafic de la drogue en Gaspésie, mais aussi dans tout le Québec.

L'inspecteur fit une moue montrant que cette proposition n'était pas enthousiasmante. Et puis, depuis la première rencontre, il n'aimait pas spécialement le gros qui suait devant lui.

— Écoute Dumas, pour le moment on a d'autres chats à fouetter. Et puis, les informations dont tu parles, il est plus que probable qu'on les a déjà. Alors j'suis pas certain qu'il faut qu'on prenne des risques pour te donner un coup de main.

— Mais inspecteur, j'peux vous donner tous les noms, tous les circuits, toutes les filières, autant pour la livraison de la drogue que pour les transferts d'argent. Tout ce que je veux en échange, c'est disparaître. Si je reste ici, je suis un homme mort, dit Dumas en s'épongeant le front.

Palomino comprenait parfaitement l'importance de tels renseignements. Même si ça ne relevait pas de sa compétence, il savait que certains de ses confrères aux stupéfiants apprécieraient les confidences de Dumas. Des informations de première main seraient essentielles pour enfin avancer et peut-être arrêter, ou au moins ralentir, le trafic de la drogue. Et pour Ève et lui, ça ne ferait qu'ajouter un fleuron à des dossiers professionnels déjà exemplaires.

— Faudrait voir quel genre de choses tu peux nous dire. J'peux pas m'avancer pour mes patrons sans avoir quelque chose à leur dire.

— Avant de vous dire quoi que ce soit, il me faut des garanties que vous m'aiderez.

— Écoute, mon gros. T'es pas en position pour négocier. Moi, j'ai juste à m'en aller et à te laisser te débrouiller. Tu discuteras avec les gars qui te suivent. J'suis certain qu'ils vont être compréhensifs.

Sans attendre, l'inspecteur s'était levé comme s'il voulait effectivement partir.

— Non! Non! Attendez...

Dumas était terrifié. Il savait qu'il n'y avait plus de portes de sortie. Palomino s'était arrêté et attendait ce que l'autre allait lui proposer.

— D'accord inspecteur! Mais il faut me promettre que vous allez me protéger.

— Il faut d'abord que tu me donnes quelque chose pour que je puisse essayer de t'aider. C'est donnant, donnant. D'abord, parle-moi de tes trois gars qui sont morts. Dis-moi la vérité.

— Vous avez raison. Ce sont... ou plutôt, c'étaient mes hommes. Ils s'occupaient de faire peur aux fermiers pour qu'ils nous laissent utiliser leurs terres. Ils travaillaient sur le terrain, dans tous les sens du mot.

— Et qui les a tués?

— J'vous ai dit la vérité. J'en sais rien. J'ai cherché partout pour avoir des informations. Ceux qui ont fait ça sont pas dans le circuit. Ça a l'air incroyable, mais l'autre possibilité est encore plus impossible. Il faudrait que ce soit un groupe que personne connaît et qui veut rentrer dans le domaine.

— Et pourquoi ça pourrait pas être les Black Pistoleros ou la mafia?

— Ils ont pas intérêt à faire ça. J'avais réussi à faire en sorte que ce soit moi qui leur fournisse une partie de la drogue. En tuant mes gars, ils tuaient la poule aux œufs d'or, en quelque sorte.

— Ils tuaient ta poule en tout cas. Parce que j'imagine que tu faisais pas ça pour leurs beaux yeux?

— Non! Bien sûr. Mais tout le monde était content de la situation. Il n'y avait aucun intérêt à changer les choses. On peut penser qu'un groupe avait des ambitions ici et que ces meurtres ont été faits pour obtenir le territoire. On peut imaginer toutes sortes de choses, mais je pense pas que ce soit ça.

— Alors, si tu peux rien me dire sur les meurtres, qu'est-ce que tu peux me donner?

— C'est ce que je vous disais. Je peux vous dire

exactement comment on travaille.

— Faut voir, répondit Tony.

L'inspecteur sortit du papier et un crayon qu'il remit à Dumas.

— Tu vas m'écrire tout ce que tu sais et je vais voir ce que je peux faire après avoir vérifié que tes renseignements sont exacts.

— Pas question. Si vous me laissez tomber, j'aurai pu rien. Je vais vous donner quelques informations, mais sans les noms. Assez pour que vous puissiez faire les vérifications que vous voulez. Je vous donnerai le reste quand vous m'aurez fait sortir d'ici et que j'aurai signé un contrat avec les procureurs. C'est à prendre ou à laisser.

— OK, Dumas. Écris quelque chose qui fera preuve de ta bonne foi et qui nous fera avancer. Et je vais voir comment on peut t'aider.

Sentant qu'il ne pouvait plus y échapper, Dumas se mit à écrire.

— Ça me prendra au moins vingt-quatre heures pour faire les recherches et vérifier ce que tu me dis. Si c'est bon, il y a d'autres gars qui vont venir s'occuper de toi, lança Tony.

***

Pour la deuxième fois, Vince Capelli attendait seul au bout du quai de Pointe-au-Père et regardait le traversier quitter pour la Côte-Nord. Un peu plus loin, les pêcheurs profitaient de la marée montante pour attraper l'éperlan, ce petit poisson dont plusieurs raffolent. Les habitués avaient des lignes au bout desquelles on voyait plusieurs hameçons. Il n'était pas rare qu'ils remontent quatre ou cinq poissons d'un coup. Au grand plaisir des enfants qui les accompagnaient.

Vince les regardait, incapable de comprendre le plaisir qu'on peut trouver à attendre des heures qu'un poisson ne daigne mordre à l'appât. Puis, quand l'un d'eux était pris, il fallait l'enlever, arracher l'hameçon enfoncé dans la bouche de la bête et remettre un ver visqueux et laid pour tout recommencer. Décidément, il n'y avait là aucun plaisir. Mais en attendant Big, Vince n'avait rien d'autre à faire que d'observer ce spectacle.

Vince savait très bien que tout le quai était surveillé par les hommes de leurs deux organisations. Autant les siens que ceux de Big. Il savait aussi qu'ils se tiendraient tous tranquilles car les ordres avaient été stricts. Aucun écart ne serait permis, ni même toléré.

Il attendait depuis une dizaine de minutes quand approcha la voiture de son homologue chez les motards. Big était comme dans les souvenirs qu'il avait conservés de leur première rencontre. Imposant.

Les deux hommes s'approchèrent pendant que leurs gardes du corps maintenaient une distance respectueuse.

— Merci d'avoir accepté cette réunion, dit Capelli d'entrée de jeu.

L'autre fit seulement un signe de tête en guise de réponse.

— Approchons-nous un peu du bord, fit Vince en s'avançant vers un coin isolé.

Les deux hommes marchaient sans un mot. Capelli tentait d'évaluer comment aborder la question dont il voulait discuter. Les deux hommes s'arrêtèrent et Capelli s'assit sur la rambarde au bout du quai. Le vent était frais et soufflait, comme toujours ici, depuis le fleuve vers la terre.

— Je crois qu'on a un problème, dit Vince.

— Désolé pour toi, répliqua Big. Mais j'en ai rien à foutre.

— Quand je dis qu'on a un problème, je parle autant de toi que de moi. Ou plutôt... disons que ton organisation et la mienne ont un problème.

— Première nouvelle, dit l'autre.

— Écoute, on est absolument seuls ici. Alors, pas besoin de jouer au dur. Tu sais aussi bien que moi qu'on a rien à voir dans le meurtre de tes hommes. On veut pas la Gaspésie et les accords qu'on a conclus nous satisfont parfaitement. D'ailleurs, si c'était pas le cas, c'est pas en faisant tuer trois merdeux à l'autre bout du monde qu'on aurait rouvert les négociations.

Big ne répondait pas. Il se contentait d'écouter et de regarder l'horizon.

— Je ne crois pas non plus que les Black Pistoleros soient capables de se lancer dans une telle opération, poursuivit Capelli. Ils peuvent bien tenter de petites choses, mais ils n'ont certainement pas les reins assez solides pour vous attaquer de front en espérant y gagner quelque chose.

— J'ai quand même trois gars qui sont morts, dit Big laconiquement.

— Ouais! Je comprends que c'est un drame... Mon patron aussi vit un drame. Imagine-toi qu'un de ses chevaux a été tué...

— La vie est éphémère. Une journée on est là et le lendemain...

— Pour ce qui est de l'autre, Fortier, qui a été tué la nuit dernière, il fait partie d'aucun groupe. C'est un indépendant qui travaille pour n'importe qui et qui a ses propres combines. Et à ma connaissance il n'a rien à voir non plus dans ce qui arrive.

— J'haïssais ce gars-là. J'aurais pas détesté lui faire visiter le fond du fleuve, si j'en avais eu l'occasion.

Pour la première fois, Big esquissa un petit sourire que Vince lui rendit. C'était une autre chose qu'ils partageaient. Peut-être le premier signe d'une éventuelle complicité, se dit Capelli.

— Écoute, poursuivit Vince. Je pense que personne n'a rien à gagner dans une guerre. C'est triste pour tes gars. C'est triste pour le canasson. Mais ça vaut pas qu'on s'entretue. Spécialement quand on a rien à y voir. C'est ça, le business. Il faut pas embarquer dans une opération qui coûte cher et qui rapporte rien.

— Tu me dis que vous êtes pas responsable de la mort de mes gars. Qu'est-ce qui me le prouve?

— Rien, répondit Vince. Sauf ma parole. Et pour te prouver ma bonne foi, je peux te dire des choses sur ton gars dans le coin.

— Tu crois savoir des choses que j'ignore encore? demanda Big.

— Peut-être. Mais avant, il faut s'entendre. Le problème se résume comme suit : trois de tes hommes sont morts. On est pas derrière ça. Les BP non plus. Mais t'as toujours trois hommes qui sont morts et tu peux pas laisser passer ça sans réagir. J'ai une bourrique qui a été tuée et je peux pas non plus laisser passer ça sans bouger. En prime, t'as un peu d'ordre à ramener dans la région. Ça fait le tour?

— Et les Evil Disciples?

— C'est toujours une possibilité. Tu connais mieux les motards que moi.

— Qu'est-ce que tu proposes? lança Big.

— On laisse aller les flics en espérant qu'ils trouvent le plus rapidement possible les véritables coupables et les raisons pour lesquelles ils ont agi. Pour le reste, on vous laisse le coin. Comme on traite quelquefois des affaires avec les Black Pistoleros, je peux aussi leur faire comprendre qu'ils doivent absolument respecter les accords, et qu'ils doivent mettre leurs culs sur leurs motos et partir du coin. Je te donne aussi quelques tuyaux sur Dumas. Comme ça, tu peux faire le ménage, garantir ton territoire, et ton patron est content.

— Quel est ton profit dans tout ça?

— D'abord, j'ai pas le goût de m'éterniser dans le secteur. Je déteste le coin. Mais surtout, j'ai pas le goût de tuer des gars pour une histoire où on a rien à voir et tout à perdre...

Capelli fit une petite pause.

— Il reste quand même un problème et c'est là que tu peux m'aider.

— Dis toujours !

— Tu vois, mon patron a pas aimé ce que vous avez fait à son cheval. Alors lui aussi crie vengeance. Il n'a pas aimé non plus la menace qui venait avec. Il faut un geste. Et c'est là que t'interviens. Je fais une petite vacherie à Pop, rien de grave, et tu t'arranges pour qu'il avale la pilule. Comme ça, tout le monde est heureux et on peut reprendre les affaires… Qu'est-ce que t'en dis?

Big savait que l'autre avait raison. Il n'y avait rien à gagner dans une lutte qui les opposerait tous. D'ailleurs, l'enquête qu'il avait lui-même menée allait dans le même sens. Ni la mafia ni les BP ne pouvaient avoir tué ses gars. Bien sûr, il fallait quand même que les policiers trouvent les véritables coupables. Si nécessaire, Big pourrait s'occuper de leur sentence. Et puis, réinstaller le contrôle de Pop dans toute la Gaspésie, sans aucun risque et sans malentendu, avait son importance. Pour ce qui était des représailles, en autant que Capelli demeure raisonnable, il ne devrait pas y avoir de problème à faire comprendre à Pop qu'il avait agi un peu vite en s'attaquant à Moresmo.

— On a une entente, confirma Big. Mais avant que je m'en aille, parle-moi un peu de Dumas.

Les deux hommes reprirent leur petite marche pendant que Vince donnait certaines informations à l'autre. Les gardes du corps les suivaient à bonne distance, chaque groupe épiant l'autre et se tenant sur ses gardes. Mais il semblait bien que, finalement, il n'y aurait rien de plus grave aujourd'hui que le risque de prendre froid au bord du fleuve.

***

En entrant dans le restaurant, Lou aperçu Alex qui l'attendait. Lou avait les traits tirés et les yeux rougis, comme les personnes qui n'ont pas dormi depuis la longtemps. Un peu comme moi d'ailleurs, songea Alex…

— Alex, est-ce que c'est la seule façon?

— Il n'y en a pas d'autres. Je vous l'ai dit. Une fois qu'on a commencé, il est impossible d'arrêter.

— Mais toute cette violence…

— Ce n'est pas nous qui l'avons commencée. Ce sont eux ... pas nous. Ils ont ce qu'ils méritent. On doit toujours assumer les gestes que l'on pose. Nous aurons à assumer les nôtres un jour. Tu verras. Alors, si on en a l'occasion, il sera toujours temps d'avoir des regrets. D'ici là...

— C'est pas seulement de les tuer... c'est aussi la façon. C'est... horrible, murmura Lou pour que personne n'entende.

— Je n'ai qu'à penser à ce qu'ils ont fait pour que revienne la certitude d'avoir raison.

— Est-ce que ce sera bientôt fini? demanda Lou.

— Ce sera terminé quand ils auront tous compris qu'il y a des choses qu'il ne faut jamais faire. Quand notre vengeance aura été totale... Rappelle-toi toujours qu'ils n'ont pas de scrupule, ni de remords. Qu'ils n'en ont jamais eu. Ces bêtes nous ont tout pris. Je leur prendrai aussi le maximum... Allez! Je dois aller au travail. Retourne à la maison et essaie de dormir...

Alex laissa un peu d'argent et sortit, laissant Lou avec ses remords et ses doutes. Or, les doutes, comme la pitié, n'avaient plus leur place depuis plusieurs années. Il fallait se reprendre en main. Alex avait raison. Ce sont des démons, des voleurs, des pédophiles, des meurtriers et des trafiquants de drogue. Ils méritent leur sort. Ils ont abusé de tout, et surtout d'enfants et de jeunes qu'il aurait pourtant fallu protéger, par n'importe quel moyen. Qu'ils brûlent en enfer. Et je vais les aider à y aller, songea Lou, sa détermination revenue.

Chapitre 12

À quelques kilomètres de l'endroit où s'étaient rencontrés les deux lieutenants du crime organisé, Julien Dubuc et Ève Saint-Jean poursuivaient dans les bureaux du poste de police leurs recherches dans les dossiers des victimes de Rimouski. Le capitaine Dufour était même venu leur donner un coup de main. Mais finalement, il n'était pas resté très longtemps car Taschereau l'avait convaincu de donner une conférence de presse pour faire le point sur les événements des derniers jours. Dufour aurait certainement refusé si le maire ne lui avait également bien fait comprendre qu'il était important, pour ne pas dire essentiel, d'expliquer à la population que les autorités avaient la situation en mains et que tout, absolument tout, était mis en œuvre pour arrêter les coupables. Il fallait profiter de cette tribune pour rassurer la population. Surtout à cette époque de l'année où on voyait apparaître les touristes. S'il fallait que ceux-ci boudent la région, la population locale serait aux prises avec des problèmes de sécurité et des problèmes économiques, ce qui ne ferait que rendre la conjoncture encore plus incertaine.

Le docteur L'Écuyer faisait son entrée dans la salle avec du café au lait pour tout le monde. Il allait aussi consacrer un peu de temps à les appuyer dans leurs recherches. Pour le moment, l'autopsie piétinait et on attendait plusieurs rapports d'analyse pour corroborer ou infirmer certains points. De plus, le légiste de la

Sûreté du Québec lui avait fait comprendre qu'il était préférable qu'il se change les idées. N'ayant rien de plus constructif à faire, il voulait saluer Ève qui ne demandait d'ailleurs rien de mieux. Et le fait de voir arriver le docteur avec du véritable café n'était certainement pas étranger au plaisir qu'elle éprouvait. Elle avait conclu, il y a déjà longtemps, que le café des postes de police était certainement une arme bactériologique que l'on testait pour en analyser les effets à long terme. La seule ressemblance entre le café et le liquide infect qu'on lui servait ici, c'était la couleur. Le café policier n'était même pas chaud. Elle comprenait pourquoi les agents étaient souvent associés à certains restaurants de beignes et de café. Tout plutôt que de boire ce liquide brun qui marinait depuis des heures.

Julien, de son côté, était entièrement absorbé par les documents qu'il scrutait. Il entrait des informations dans son ordinateur qui était en contact avec les différentes bases de données de la centrale de Montréal. Il cherchait à faire des recoupements entre des événements et des personnes. La masse de renseignements qu'il avait accumulée défiait l'imagination. Il avait dit à Ève qu'il suivait une piste, mais n'avait pas élaboré davantage.

Le docteur fouillait au hasard dans les piles de documents qui jonchaient les bureaux. Il se souvenait très bien de quelques cas. Principalement celui du petit Jean-François Hugo qui était passé sur sa table d'autopsie. Il avait la nausée juste d'y penser. L'état dans lequel on avait découvert le petit était à la fois odieux et hideux. Incroyable que les personnes qui avaient fait ça aient pu être remises en liberté. Et pourtant, c'était le cas. Verdun et Auger avaient été libérés. L'Écuyer avait beau croire qu'au fond l'homme avait toujours une base de bonté et d'humanité, il avait des doutes en ce qui concernait ces deux individus. Mais il comprenait aussi n'avoir pas toutes les informations sur ces bonhommes et que de toute façon on ne lui avait pas demandé son avis pour les libérer à la fin de leur sentence. Mais quand même.

— Tiens, voilà qui est intéressant, dit Julien.

— Tu as trouvé quelque chose ? demanda Ève.

— Peut-être… Je ne sais pas encore. Mais c'est intéressant.

Julien s'était aussitôt remis à examiner les données qui paraissaient sur son écran. Comme si sa remarque expliquait tout en elle-même. Ève le regarda, incrédule, songeant à la meilleure façon de l'abattre. Quand il travaillait dans son domaine, Julien ressemblait à un chien qui gruge son os et qui ne se lassera pas avant de l'avoir complètement détruit et bouffé. Sous certains aspects, il lui faisait penser à Tony qui suivait toujours une piste jusqu'au bout de son instinct. Jusqu'à ce qu'il découvre ce qu'il voulait trouver. D'ailleurs, pensa-t-elle, on n'avait pas encore eu de nouvelles de sa rencontre avec Dumas.

— Alors, tu craches le morceau ou je dois aller le chercher directement dans le fond de ta gorge ? lança Ève.

Dubuc releva la tête comme s'il ne comprenait pas.

— Pardon ? Ah oui ! Ben voilà. En recoupant certaines choses, on sait que Sandra Michaud et Louise Barbeau se connaissent, n'est-ce pas ?

— Ça t'a pris toute la journée pour trouver ça ?

— Eh bien, ce sont des sœurs, continua Dubuc sans faire attention à la remarque de sa collègue. En fait, Louise a pris le nom de son mari, mais Sandra a gardé son nom de fille. Je remarque aussi qu'elle est baptisée sous le nom d'Alexandra mais qu'elle l'a fait changer dans la vingtaine pour celui de Sandra.

— Ça me fait une belle jambe, dit Ève.

— Tes deux jambes sont belles, murmura Serge à l'oreille d'Ève.

Elle lui sourit pendant que Julien poursuivait son explication.

— Bon, c'est vrai, dit-elle plus sérieusement. C'est intéressant de savoir qu'elles sont sœurs.

— Là où ça devient passionnant, c'est que cette Sandra Michaud, poursuivit Dubuc, a été mariée avec un gars qui s'appelle Bourgeois. Celui-là s'est suicidé.

— C'est ce qu'elle m'a dit en effet.

— Eh bien, il se trouve qu'une certaine Sandra Bourgeois de Montréal, qui avait une sœur du nom de Louise, était la mère d'un petit garçon qui a disparu il y a plusieurs années. Ça a pris pas mal de temps avant que les policiers ne le retrouvent. Plus exactement, ils ont retrouvé un cadavre. Dans un petit boisé de la banlieue nord de Montréal. L'enfant avait été sauvagement agressé sexuellement. L'autopsie a révélé que le ou les agresseurs l'ont laissé mourant et qu'il a succombé au bout de quelques heures, blessé et gelé. L'agression est survenue en novembre, précisa-t-il.

— Et c'est bien la même femme? demanda Serge L'Écuyer.

— C'est ce que je suis en train de confirmer. Mais à mon avis, il faudrait un hasard étonnant pour que les deux femmes ne soient pas les sœurs mentionnées au dossier.

— Et elle serait venue s'installer à Rimouski après le drame de son garçon?

— Et tout cas, les dates concordent. Elle serait venue vivre plus près de sa sœur et plus loin de Montréal.

— Ça voudrait dire que l'horreur l'a rejointe ici encore? Ce serait quand même incroyable que les deux sœurs aient eu des enfants qui se sont fait agresser. Et ça, c'est sans compter que Sandra a été la voisine d'un autre petit garçon qui s'est fait abuser. C'est vraiment pas croyable. Elle a un sort cette femme.

— Incroyable, mais pas impossible, avança L'Écuyer. Ça s'est déjà vu.

— Est-ce qu'on a arrêté ceux qui ont fait ça à l'enfant de Sandra Michaud? demanda Ève.

— Jamais. Mais c'est pas tout. Selon l'enquête de l'époque, plusieurs noms ont circulé. Et, tenez-vous bien, Fortier était l'un des suspects. Mais il n'y a jamais eu suffisamment de preuves pour intenter une poursuite. C'est tout ça que je trouvais étonnant tout à l'heure.

Ève Saint-Jean tournait en rond dans la pièce en réfléchissant intensément. Elle se jouait dans les cheveux et marmonnait pour elle-même.

— De mon côté, ajouta-t-elle, j'ai réussi à retracer presque toutes les familles qui ont eu des enfants agressés soit par Verdun et Auger, soit par Fortier. Il y en a encore deux qui vivent toujours dans la région. Avec ton logiciel, Julien, tu crois qu'on pourrait savoir si toutes ces personnes ont déjà été en contact?

— On pourrait peut-être savoir si elles se sont trouvées en même temps au tribunal pendant qu'on entendait la cause, mais c'est tout.

— Si tu veux mon avis, dit L'Écuyer, toutes ses personnes se sont au moins rencontrées aux audiences. C'est certain. Dans une ville comme Rimouski, un drame qui touche directement autant de personnes, ça rapproche. De là à dire qu'elles se sont vues par la suite, ça ne m'étonnerait pas.

— Serge a raison, continua le profileur. Il n'est pas rare que des personnes qui vivent les mêmes problèmes se regroupent pour mieux passer au travers. Il arrive souvent que l'État offre des services de psychologues ou de psychiatres pour aider les familles à traverser ces périodes difficiles. Si tu me laisses un peu de temps, on pourrait savoir si ça a été le cas pour ces familles.

Julien Dubuc reprit ses recherches pendant qu'Ève se relançait dans la lecture d'autres dossiers pour tenter d'établir un lien plus solide entre tout ce beau monde. Pas étonnant, pensa-t-elle, que Sandra Michaud l'ait reçue si froidement. La seule présence de policiers doit lui faire revivre les drames. Et pourtant... raisonnat-elle, il y avait plus. Comme un défi dans son attitude. Comme un air de dire... Bon, Ève devait s'avouer qu'elle ne savait pas ce que ça pouvait vouloir dire. Mais elle était convaincue qu'il y avait quelque chose de pas net dans l'attitude de cette femme.

Si moi, se dit Ève, j'avais dû vivre les mêmes choses, est-ce que j'aurais gardé toute ma tête? Est-ce que j'aurais survécu à ces drames ? Elle ne pouvait en être certaine.

***

Le détective Palomino avait passé quelques heures à faire des recoupements sur les informations que Dumas lui avait transmises. Il était de plus en plus convaincu que tout cela permettrait à ses confrères de faire des pas de géant. Il serait même possible d'attaquer le portefeuille des trafiquants en bloquant certaines méthodes de blanchiment d'argent. Le processus n'était pas totalement clair à partir des seuls détails que le tenancier du bar lui avait donnés. Ça permettait toutefois d'entrevoir que les motards avaient mis au point des méthodes originales, et finalement plutôt ingénieuses, pour remettre l'argent sale en circulation. Dumas lui avait confirmé qu'il pourrait remplir les trous qui restaient dans le portrait qu'il lui avait remis.

Ces renseignements pourraient s'avérer capitaux dans la suite des procédures contre les motards. Il serait même possible de toucher la mafia, ce qui n'était pas à dédaigner. Il fallait donc tenter de sauver Dumas et de le retirer de la circulation et il essayait de convaincre son patron d'agir en ce sens.

— J'ai fait plusieurs vérifications. Le plus discrètement possible pour ne pas mettre Dumas en danger et tout ce qu'il m'a dit semble exact.

— Mais il demande beaucoup ton client, dit Motret. Et si je t'ai bien compris, il ne t'a donné que des miettes pour l'instant.

— Il est traqué. Il est paniqué et il utilise la seule monnaie d'échange qu'il possède pour sauver sa peau.

— Et tu crois vraiment qu'il est en danger ?

— Ça me semble certain. Il vole ses employeurs depuis au moins deux ans. Il a vendu de la drogue qui ne lui appartient pas à la mafia et probablement aux Black Pistoleros. Sa combine était simple mais efficace. Il recrutait plus de fermes que ce qu'il disait à Montréal. Il se servait des graines pour ensemencer ces terres sans en parler à personne. Il fallait évidemment que les trois types qui ont été tués aient été dans le coup. Mais ils devaient aussi trouver leur compte dans l'histoire. C'était la seule façon pour Dumas de s'assurer qu'ils ne le trahiraient pas. Il lui suffisait ensuite de vendre la drogue qui n'apparaissait nulle part et de mettre l'argent dans ses poches.

— Je vois, dit Motret. La mort de ses « associés » vient compliquer tout son système. Et il y a le risque que ses patrons trouvent maintenant la combine. Tant qu'il était dans une région éloignée, on ne s'occupait pas trop de lui. Mais aujourd'hui le beau temps est fini.

— C'est encore plus grave que ça, compléta Tony. Dumas m'a raconté qu'il a vendu à la mafia de la drogue qui n'est pas encore récoltée. Mais la mafia lui a payé le chargement d'avance. Et il est impossible pour le gros de respecter son contrat.

— Je vois… Et tu es certain que les informations qu'il pourrait nous fournir valent qu'on le protège ? Tu sais que je n'ai jamais été en faveur d'aider des criminels. Le repentir quand on a le couteau sur la gorge, c'est trop facile…

— Je le crois. D'après ce qu'il m'a donné, on pourrait établir de nouveaux liens et attaquer le cœur et la tête de ces organisations.

— Je vois ce que je peux faire et je te donne des nouvelles le plus tôt possible, conclut Motret en raccrochant.

Palomino connaissait les problèmes liés à une demande de nouvelle identité et de protection d'un délateur. Les journalistes avaient présenté, avec raison, Tony devait l'avouer, des cas où cette façon de faire n'avait pas servi la justice, profitant seulement au délateur. Il fallait donc être très prudent. Tout finissait par se savoir. D'autre part, une telle demande impliquait plusieurs services, plusieurs forces policières et même plusieurs niveaux de gouvernement. Ce n'était jamais facile. Et le temps pressait.

* * *

Louise Barbeau s'était, comme toujours, arrêtée au bas des marches de l'imposant édifice gris. Et, comme toujours, elle se mit à pleurer. Aller voir sa fille était devenu une épreuve. Comment une mère peut-elle vivre en sachant qu'elle ne peut partager l'immensité de son amour avec son enfant ? Un amour à sens unique. Un amour qui n'allait nulle part. La fille et la mère ne vivaient plus dans le même monde. Sa fille s'était repliée dans les confins de son esprit, là où il était impossible de l'atteindre, impossible de lui faire mal. Elle s'était réfugiée si loin que même l'amour de ceux qui l'entourent ne la touchait plus.

Aller voir sa fille était devenu une corvée qui forçait Louise Barbeau à constater le vide qu'était devenue sa vie. À quoi sert de continuer quand on a perdu tout ce qui importe ? Les enfants sont des cadeaux qui doivent s'épanouir et se développer. Ils sont la force de la vie qui avance toujours.

Briser cet élan était monstrueux. On ne parvenait jamais à l'accepter. Les parents qui perdent un enfant à cause d'un accident ou d'une maladie vivent quelque chose de tragique et d'insensé dont on se remettait mal et, souvent, pas du tout. Mais, croyait Louise, il y avait au moins une explication à cette perte, une explication qu'on peut comprendre, même si elle n'est pas acceptable. Dans le cas où l'essence même de la vie est retirée en abusant d'un corps jeune et pur, l'horreur s'ajoute à l'inacceptable. Pourquoi alors continuer à vivre ? Seulement pour le cas fort peu probable où l'enfant parviendrait à sortir du monde qu'il s'est créé pour se protéger ? Y avait-il encore de la lumière dans les profondeurs où la petite s'était réfugiée ? Parviendrait-elle un jour à renaître ? Redécouvrirait-elle un jour la façon d'entrer en contact avec son entourage ? C'était une illusion, un espoir. C'était néanmoins ce qui maintenait Louise en vie et ce qui lui avait permis de continuer. Mais avec les mois et les années qui passaient, elle doutait. Le miracle n'allait plus se produire…

Pourtant, debout au bas des marches de béton, elle sécha ses yeux et se remit un peu de maquillage. Au cas où… S'il fallait que sa fille ait une réaction, elle devait voir sa mère aussi belle que possible. On ne sait jamais… Ce serait peut-être aujourd'hui…Oui ! Ce pouvait être aujourd'hui. Elle se décida à gravir les marches pour son rendez-vous avec son enfant.

***

Lorsque Palomino revint au poste de police pour le bilan quotidien des événements, il n'avait toujours pas reçu de nouvelles de son patron. Il avait beau savoir qu'il faudrait du temps, ce délai l'embêtait. Il espérait que les autres avaient pu avancer sur la piste du passé des victimes.

Il s'était accordé quelques minutes pour passer à l'hôtel se changer et téléphoner à Lise. Il était tombé sur son répondeur. « Écoute ma belle, tu me manques et j'ai bien hâte de te retrouver. Ici, ça avance mais tout douce- ment. C'est une histoire assez horrible… Alors à très bientôt… Ah oui… Veux-tu, s'il te plaît, donner un coup de fil à ma mère. Elle veut absolument regarder je sais pas trop quelle affaire avec toi. Alors ça m'aiderait si tu voulais prendre une minute pour lui parler. Sans ça elle va continuer à me harceler… Bisous… je t'aime. »

Après une courte douche, il avait enfilé son tout nouvel ensemble Versace. Il en était particulièrement fier. Les grands designers avaient, cette année, opté pour une allure décontractée aux couleurs lumineuses qui plaisait particulièrement à Palomino. Bon, Ève trouverait certainement quelque chose à dire sur ce veston jaune, mais ça n'avait pas grande importance.

Il avait un look d'enfer en entrant au poste de police et toutes les têtes se tournaient sur son passage, principalement celles des femmes policières. Tony ado- rait… Encore une fois, tout le monde était déjà installé quand il pénétra dans la salle de réunion. Il aimait bien aussi ces entrées soignées.

— Mais je ne me trompe pas, lança Ève. C'est bien Colin Farrell de « Miami Vice ». Quel style !

— Ah ! Y a pas de doute, ça donne un grand coup, ajouta Julien Dubuc.

Même le capitaine Dufour se retourna pour sourire.

— Bon, les comiques, au lieu de dire des niaiseries sur des choses qui vous échappent complètement, faites-moi plutôt le point sur vos recherches, dit Tony.

Ève Saint-Jean lui expliqua les découvertes relatives aux deux sœurs qui demeuraient encore à Rimouski. Ça expliquait, selon elle, leur accueil lors de ses visites.

— C'est une situation tout à fait particulière, précisa Dubuc. Il faut comprendre que la façon dont les meurtres ont été commis, la violence dont les agresseurs ont fait preuve, révèlent une approche différente des règlements de comptes des groupes criminalisés. Il est donc plus que probable qu'on a ici affaire à une histoire de vengeance. Or, et on l'a vu dans d'autres affaires à travers le monde, les pires agressions sont souvent faites soit par des fanatiques religieux ou des personnes qui veulent se venger.

— Vous êtes en train de me dire, demanda Tony, que les meurtriers que nous recherchons agressent ceux qui les ont agressés ?

— Ça, ou dans le cas présent, ce sont les parents de ceux qui ont été agressés. C'est en effet une possibilité à retenir, reprit Ève.

— L'histoire de l'ablation du pénis m'intrigue depuis le début, ajouta Dubuc. Mais ce n'est pas tout. Avez-vous remarqué que nos victimes ont eu les doigts – ou les orteils – brisés et qu'on les a achevées en leur tirant dans la tête. Est-ce qu'on peut en déduire que les meurtriers ont fait en sorte que leurs victimes souffrent par où elles ont fait souffrir ?

— C'est exact, continua Ève. Ils ont fait du mal avec leurs mains ; on les brise. Ils ont fait du mal avec leur pénis ; on le coupe. Ils ont fait du mal avec leurs yeux, leur bouche et leurs paroles ; on fait disparaître le visage au complet. C'est quand même troublant, non ?

— C'est plausible, mais vous n'avez aucune preuve pour appuyer ce que vous dites. On n'aura jamais l'autorisation de faire une perquisition avec ce que vous apportez.

— On a quand même fait vérifier l'emploi du temps des deux femmes les soirs des meurtres. Et on sait qu'elles n'étaient pas chez elles. Ça ne prouve rien. Mais quand même.

— Ça ne prouve absolument rien en effet.

Le silence se fit autour de la table. Chacun semblait perdu dans ses pensées.

— Selon les gars de scènes de crimes, il y aurait eu trois ou quatre personnes lors de la première série d'assassinats. Si Louise et Sandra sont impliquées, qui pourraient être ces autres personnes, d'après vous ? demanda Palomino.

— J'ai retrouvé deux autres familles dont les enfants ont été sauvagement agressés et qui vivent toujours dans la région, répondit Ève. J'ai quelqu'un qui tente de voir ce qu'ils faisaient les soirs des meurtres. Une des familles, les Hugo, sont les parents du petit qui a été tué par Verdun et Auger. On y va très discrètement, parce qu'on a rien et que si jamais ces personnes sont effectivement impliquées, on ne veut surtout pas leur faire savoir qu'on est au courant. Par contre, si elles n'ont rien à voir avec tout ça, je ne veux pas leur rappeler inutilement des scènes d'horreur.

— Toi et Dubuc, continua Tony, vous pensez qu'il s'agit d'une espèce de secte ou de groupe de vengeance qui règle des comptes avec des pédophiles qui ont abusé des enfants ? C'est bien dans cette voie que vous vous dirigez ?

— Quelque chose dans le genre, dit Dubuc. Je sais que c'est fragile et qu'on n'a aucune preuve. On n'a trouvé aucun indice sur les lieux des crimes. On sait quel calibre avait l'arme utilisée, mais on est pas beaucoup plus avancés. L'arme elle-même n'a pas encore été retrouvée. De toute façon, comme je vous l'ai déjà dit, les armes de poing qui servent pour des délits sont rarement enregistrées et il est très facile de s'en procurer à condition d'être décidé, d'avoir quelques contacts et d'être prêt à payer. Pour ce qui est du scalpel ou du couteau qu'on a employé pour charcuter les victimes, c'est aussi le genre de chose qu'il n'est pas difficile de se procurer.

— Le rapport que je viens de recevoir de Québec sur le véhicule qui aurait été utilisé pour transporter Fortier ne donne aucun indice non plus, informa Dufour. Les spécialistes ont trouvé des tas d'empreintes, mais essentiellement celles de Fortier ou celles des propriétaires du véhicule qui a été volé.

Dufour fit une pause en consultant encore le rapport.

— Il y a bien deux empreintes qui n'ont pas été identifiées, mais on ne peut pas les lier aux personnes que vous soupçonnez puisqu'on ne peut pas les comparer. Tout simplement.

— Ça doit pas être bien compliqué de se procurer les empreintes des quatre personnes qui pourraient, selon vous, être liées aux meurtres, lança Palomino. Mais je dois vous dire qu'on manque de temps. J'ai peur que la situation ne se corse entre les bandits sous peu. Je pense qu'on profite d'une trêve actuellement, mais elle sera brève dans le meilleur des cas. Les escarmouches se multiplient. Il faut coincer les vrais coupables avant que les choses ne dégénèrent. Si on peut prouver que ce n'est pas lié à leurs réseaux, ils vont probablement régler des comptes quand même, mais ça ne tournera pas à la guerre civile... Et du côté de l'écoute téléphonique?

— De ce côté-là, rien de nouveau. Que des choses banales. À croire que tout ce beau monde n'a rien de mieux à faire que de parler de la pluie et du beau temps, précisa Dufour.

— J'ai peut-être une suggestion à vous faire, lança Dubuc. On a déjà tenté le coup avec succès et Ève est d'accord avec moi…

Le profileur jeta un coup d'œil autour de la table et sentit que tous attendaient qu'il expose son projet.

— C'est simple, tendons-leur un piège, poursuivit-il. On peut inventer un pédophile qui serait de passage dans le coin pour très peu de temps. On peut bâtir une histoire d'horreur qui tienne la route et qui inciterait la secte à agir sans avoir tout planifié d'abord. Si ce sont les responsables qu'on cherche, on le saura et on pourrait les avoir… Sinon, il faut tout reprendre depuis le début et trouver à quel endroit on a manqué un virage pour impliquer les motards.

***

Ève et Tony étaient installés au bar de l'hôtel. La fin de la journée avait été mouvementée. Finalement, tout le monde s'était rallié à l'idée de Dubuc et on avait créé un monstre. Dubuc avait puisé dans plusieurs cas de pédophiles violents qui avaient été arrêtés en France et en Belgique pour tracer le portrait robot de celui qui viendrait à Rimouski. Les autorités, autant de la Sûreté du Québec que de la ville de Rimouski avaient été avisées et avaient entériné le plan. Il ne restait plus qu'à faire sortir la nouvelle. Dufour avait proposé qu'on demande l'appui d'un journaliste bien connu et établi dans la ville pour lancer le canular. Il avait suggéré de faire appel à Ronald Martineau en insistant auprès des inspecteurs pour qu'ils lui disent toute la vérité. Sinon il ne collaborerait pas. Dufour l'avait rencontré à plusieurs occasions et il savait que ce type était honnête. Il ne fallait surtout pas tenter de le prendre pour un imbécile. Un rendez-vous avait été pris pour le soir même.

— Tu es certaine qu'on est sur la bonne voie ? demanda Tony.

— Certaine, répondit Ève. Depuis le début, cette histoire est louche. Aucune des pièces du puzzle ne s'imbrique dans les autres. La solution de Dubuc a l'avantage de répondre à toutes les questions. D'après lui, on a affaire principalement à des femmes. À des mères, en fait. Des mères qui ont été aussi blessées que leurs enfants et qui ne croient plus en la justice. Elles peuvent être très dangereuses. Tu te souviens de ce que je t'ai conté après ma visite chez Louise Barbeau ? Je t'ai dit que j'avais eu l'impression que la nouvelle de la mort de ceux qui avaient torturé sa fille ne l'étonnait pas. C'était seulement une impression fugitive, mais je suis certaine d'avoir eu raison.

— Je souhaite que tu sois dans le vrai…

Au même moment, Taschereau entrait accompagné d'un homme à l'allure sportive, probablement le journaliste.

— Détective Saint-Jean, sergent Palomino, voici monsieur Martineau, déclara Taschereau quand il arriva à leur table.

— Content de vous rencontrer, dit Tony en lui serrant la main

— J'suis pas absolument certain que ce soit réciproque, dit Martineau avec froideur. Qu'est-ce que les policiers me veulent ? Pourquoi cette réunion dans un bar d'hôtel ?

— Je comprends vos craintes, dit Ève. Mais nous allons tout vous expliquer. Si vous voulez bien nous donner un peu de votre temps.

Martineau, d'assez mauvaise grâce, se joignit à eux, trop curieux pour quitter les lieux.

— Dites-moi d'abord, monsieur Martineau. Si jamais il vous fallait faire un article de dernière minute, croyez-vous être capable de l'ajouter au journal de demain matin ?

— Je ne vois pas pourquoi j'écrirais un article ce soir. Mais en admettant que ça en vaille le coup, je ne crois pas que ce soit possible.

— Pourquoi ?

— Un journal, vous devez quand même savoir ça,

vous, dit-il en se retournant vers Taschereau, il faut que ce soit imprimé. Or, il y a des délais. Des heures de tombée à respecter. Ces délais sont expirés. Voilà pourquoi c'est impossible.

— Alors il n'y a pas de problème. Vous bénéficierez du temps dont vous aurez besoin. Le maire de Rimouski s'est déjà entendu avec le propriétaire du journal.

— Qu'est-ce qui se passe ici ? Qu'est-ce que vous mijotez ? lança Martineau avec humeur.

Ève se mit à lui expliquer la situation et la raison de sa présence dans ce bar...

***

Il était près de deux heures du matin quand finalement Palomino décida de monter à sa chambre. Martineau avait compris et travaillait l'article qui ferait la « une » du lendemain. Tony se sentait vidé. Dans l'ascenseur, son portable sonna.

— Palomino, répondit-il.

— Tony, c'est Denise, du bar... Tu me replaces ?

— Bien entendu, répliqua aussitôt Tony tous les sens en alerte. Y a un problème ?

— J'sais pas. Mais on a pas vu Dumas ce soir. Il est pas passé de la veillée. C'est la première fois que ça lui arrive depuis que je suis ici. C'est quand même étrange, non ?

— Donne-moi quelques minutes et je te retrouve au bar. Attends-moi, j'arrive.

La nuit allait encore être courte, songea-t-il en se rendant à sa voiture.

Chapitre 13

« Le Monstre de Paris est à Rimouski »

   « Le Rimouski Hebdo a appris que Robert Dorval, celui que les médias français avaient surnommé « Le Monstre de Paris », est arrivé à Rimouski hier soir. Rappelons que Dorval avait été arrêté et condamné pour pédophilie et agressions sexuelles graves sur des enfants dont certains en très bas âge. L'horreur avait été révélée il y a une douzaine d'années et avait horrifié la France et le monde entier. Selon les témoignages de l'époque, Dorval aurait séquestré, violé et battu plusieurs enfants d'un quartier populaire de Paris. Trois de ces cas ont pu être prouvés, ce qui a conduit à la condamnation de Dorval et à son incarcération pour une peine de dix ans ferme qui s'est terminée l'an dernier.

   Les crimes dont il a été trouvé coupable ne représenteraient toutefois, selon des enquêteurs de l'époque, que la pointe de l'iceberg. Dorval était aussi soupçonné d'avoir été l'instigateur d'orgies auxquelles auraient été forcés de participer des adolescents et des enfants. Les enquêteurs de l'époque le croient aussi lié à la disparition de quatre autres enfants qui auraient subi un sort encore plus grave et dont les corps n'ont jamais été retrouvés.

Dorval aurait également été un des producteurs et des promoteurs de sites Internet de pédophilie extrêmement explicites dans lesquels étaient diffusés de nombreux films montrant des actes violents commis par des pédosexuels. Certains de ces films auraient également montré, en direct, le viol et l'assassinat de jeunes garçons et filles. Les autorités n'ont jamais pu recueillir, là non plus, suffisamment de preuves de l'implication de Dorval pour le traîner devant les tribunaux.

Or, selon des sources sûres qui ont demandé à conserver l'anonymat, Dorval serait arrivé dans la région, hier soir. Personne ne connaît les raisons de sa présence en Gaspésie, mais des policiers français, contactés par Rimouski Hebdo, croient que l'homme demeure dangereux et qu'il n'a jamais cessé ses activités pédophiles. Selon eux, il ne s'est jamais, ni lors du procès ni durant son emprisonnement, repenti pour les actes qu'il avait posés.

Le maire de Rimouski, Serge Labrecque, s'inquiète aussi de la présence de cet individu dans sa ville. Il a d'ailleurs confié qu'il présenterait, dès ce matin, une demande officielle au gouvernement fédéral et au ministère des Affaires étrangères afin que le pédophile soit expulsé du pays... »

L'article de Martineau continuait encore en relatant les détails macabres des crimes commis par Dorval. Il y avait même les déclarations de parents dont les enfants avaient été agressés par Dorval qui témoignaient contre ce monstre répugnant.

Décidément, se dit Ève en reposant le journal, il a fait du bon boulot. Son texte atteignait un niveau d'horreur bien suffisant pour dégoûter n'importe quel parent normal... et encore plus ceux dont les enfants avaient déjà vécu ce drame.

Assise à la table du restaurant, elle attendait Palomino et Dubuc. Elle s'était assurée que les résidences des suspects soient surveillées dès l'aube. Tony et elle prendraient la relève devant la maison de Sandra Michaud un peu plus tard. Elle estimait toujours, et Dubuc était d'accord avec elle, que Sandra Michaud avait le profil idéal pour le genre de mise en scène dont ils avaient été témoins au cours des derniers jours.

Pendant qu'elle terminait son déjeuner tout en relisant certains passages de l'article du journal, Dubuc et Palomino arrivèrent. Si Julien avait l'air relativement frais et dispos, Tony donnait l'impression d'avoir passé la nuit dans une barque au milieu du fleuve. Il était « fripé » et il semblait épuisé.

— Mon Dieu, Tony ! dit Ève, qu'est-ce qui t'est arrivé ?

— J'ai passé la nuit à tenter de retrouver Dumas. Il n'est pas passé à son bar la nuit dernière. Ça a inquiété certains employés dont sa gérante qui m'a donné un coup de fil. On a fait le tour de tous les endroits où il se rend d'habitude, mais sans succès. Il est introuvable.

Il se tourna vers la serveuse pour obtenir un café chaud et noir. Dubuc, qui avait écouté, paru songeur.

— Est-il possible qu'il ait été la prochaine victime de nos meurtriers et qu'on fasse fausse route ?

— J'pense pas. Dumas est un gars qui est dans la merde jusqu'à la bouche. Il a joué double jeu avec des gens qui n'apprécient pas du tout la chose. Tout ce que je souhaite, c'est qu'il ait pu trouver un refuge quelque part et qu'il me contacte pour qu'on puisse assurer sa protection.

— Ça te paraît probable ? demanda Ève.

— Dumas est devenu très prudent ces derniers jours. Et c'est un gars qui a des ressources. Tout est encore possible. Je l'aime pas. Il est comme un serpent. Un énorme serpent mais un serpent quand même. Je pense qu'il a très bien pu leur filer entre les doigts.

— Avec ce qu'il t'a donné, est-ce qu'on peut faire

un bout de chemin dans le travail contre les motards?

— Ça donne des pistes aux copains de l'escouade anti-drogue. Je crois pas qu'ils en aient assez pour accélérer vraiment les choses. Ça leur permettrait d'orienter les recherches, mais tout serait à faire. Et on n'a plus de témoin si Dumas ne réapparaît pas.

Il avala une bonne gorgée de café et sembla redevenir lui-même.

— Est-ce que t'as eu le temps de lire le journal ce matin? lui demanda Ève.

— Non. Est-ce que Martineau a fait le travail?

— Excellent, répondit Dubuc. C'est assez pour que la moitié de la population ait envie de le tuer et que l'autre moitié veuille le torturer. Excellent. Dans la grande tradition des journaux à sensations.

— Et tout le reste est en place, continua Ève. Alors voici ce qu'on va faire. Toi, tu vas prendre quelques heures de repos pour redevenir un homme présentable, digne de Pacino et des autres grands Italiens de ce monde. Pendant ce temps, Dubuc vient avec moi pour commencer la surveillance chez Sandra Michaud. Les autres équipes sont en place devant les domiciles des autres familles. Dufour coordonne le tout. On suit aussi l'écoute téléphonique pour nous aider à avoir un pas d'avance. Dorval, notre monstre pédophile, est dans sa chambre d'hôtel à attendre les événements. On a prévu le faire sortir quelques minutes plus tard en avant-midi pour que les télévisions puissent avoir des images.

— Taschereau a été capable de tout coordonner avec eux aussi? demanda Palomino un peu surpris.

— Il a fallu que Motret et le ministre de la Justice s'impliquent un peu, mais tout le monde a accepté de jouer le jeu. Si le plan fonctionne, il faudra toutefois que tu expliques le tout aux journalistes. C'est le prix à payer.

Tony fit une grimace à la seule perspective de se trouver devant les journalistes à « faire le beau », comme disait son patron.

— Qui joue le rôle de Dorval ? questionna Tony.

— Un collègue de Montréal qui est arrivé cette nuit, répondit Ève. Le caporal Jules Dupré. Je l'ai déjà rencontré, et je pense qu'il fera un très bon travail. En plus, comme il est d'origine française, il a déjà l'accent. C'est un gars sympathique, mais des fois, quand il te regarde, il a l'air d'un malade mental.

— Bon... Ça semble parfait, termina Palomino. Tout le monde en place, c'est parti. Tu me donnes quelques heures et je vais prendre la relève. Je crois pas, de toute façon, qu'il se passe quelque chose d'ici là. Mais si jamais...

— T'inquiète pas, le rassura Ève. On te réveille et on t'enfile tes bobettes Versace pour te lancer dans l'action.

***

Alex aussi, près de son bureau à la maison, avait lu le journal du matin. Comme tout le monde. La rage enflammait son cœur et son désir d'action. Tout le groupe devait se sentir comme ça. Il fallait agir. Ce « porc puant » ne serait pas ici bien longtemps. Ça, au moins, semblait évident. Il fallait donc faire vite et bien. S'arranger pour l'amener et lui faire payer les atrocités qu'il avait commises. De tous, ce Dorval semblait être le plus crapuleux, le plus abject et le plus dégoûtant. Il paierait. Lentement, très lentement. Il fallait qu'il comprenne, dans toutes les parties de son corps, l'enfer qu'il avait fait endurer à des enfants sans défense... Œil pour œil.

L'ordinateur émit un son indiquant que quelqu'un voulait clavarder, ce qui l'empêcha de poursuivre son rêve de violence et de vengeance.

— Alex, Alex. Es-tu là ? disait le texte à l'écran.

— Oui. Moi aussi j'ai lu, écrivit Alex.

— Il faut qu'on le fasse payer. Alex, il faut le faire. On peut pas le laisser aller comme ça. La justice n'a pas voulu le punir. On doit le faire.

— Oui, Lou. Je suis d'accord. Il faut que tu préviennes les autres. Je m'arrange pour amener ce morpion, ce tas de merde à notre rendez-vous de la ferme. Dans la grange. Attendez-moi vers vingt-trois heures trente, écrivit Alex.

— J'veux aller avec toi pour le ramener. Il faut que j'y aille.

— Pas cette fois. Mais tu vas aller chercher le matériel. Et préviens tout le monde d'être extrêmement prudent. Il faut faire encore plus discrètement que d'habitude. Jusqu'au dernier moment, rien ne doit changer dans nos habitudes.

— Pas de problème... Tout ira bien si tu réussis à amener le prochain client.

— Alors, tout ira bien. Je sais déjà comment y arriver. À ce soir.

C'était aussi simple que ça. Son groupe en ferait payer un autre. Oui, Alex avait déjà réfléchi aux détails. Pendant le boulot, il lui faudrait se procurer quelques petits éléments, mais ce serait un jeu d'enfant.

Le plus gros problème serait de contrôler Jean-Philippe pour qu'il ne le tue pas immédiatement. Il fallait faire preuve de patience, comme ils en avaient tous eue depuis un bon moment... Mais ça ne servait à rien de penser encore aux monstres qui avaient abusé des enfants et au temps qu'il avait fallu pour mettre sur pied leur petit groupe. Pas plus qu'à ces procédures juridiques insensées qui avaient permis aux agresseurs de s'en tirer. Et rien n'avait changé depuis ce temps. À croire que ce sont toujours les victimes des pédophiles qui sont coupables. « Ben voyons, c'est pas possible qu'un homme si gentil et si bien vu ait pu faire une telle chose. Cet enfant doit se tromper. C'était juste un jeu. De petites caresses bien innocentes. Il faut pas mal interpréter l'amour que j'avais pour elle. Un amour paternel. »

Que de la merde ces excuses, ces faux-fuyants. Mais c'était fini. Maintenant ces bêtes payaient. Ce sont elles qui avaient débuté la violence. Le retour de vagues les frapperait violemment.

***

Rien n'avait bougé de la journée. Palomino était venu prendre la place de Dubuc qui était retourné à ses recherches pour tenter de trouver d'autres indices capables d'étayer leur hypothèse. Sandra Michaud avait passé presque toute la journée à la maison. Elle était sortie à l'heure habituelle pour aller au travail. Ils l'avaient suivie et patientaient maintenant dans le stationnement de l'hôpital, avec une vue sur sa voiture et sur l'entrée des employés. C'était la même chose pour les autres équipes. Rien à signaler.

L'écoute téléphonique n'avait rien donné de plus. Sinon qu'on savait maintenant que Louise Barbeau connaissait l'une des autres familles qui avaient connu l'horreur. Elle avait contacté les Hugo. Rien de grave. Ils avaient convenu d'aller jouer aux quilles en soirée. Le fait qu'ils se connaissent n'apportait pas un grand éclairage. Comme l'avait mentionné L'Écuyer, dans une petite ville comme Rimouski, il n'y avait rien d'étonnant que des parents qui avaient dû vivre le même drame se soient rapprochés. On les suivrait quand même, évidemment. Mais ça ne prouvait rien.

À l'hôtel aussi, la journée avait été calme. Les journalistes avaient passé des heures à attendre comme des paparazzis que Dorval sorte de sa chambre. Ce qu'il avait fait, comme convenu. Une très brève sortie. Il avait souri aux caméras. Un sourire faux et hypocrite. Le policier qui tenait ce rôle était parfait. Détestable à souhait. Ève en venait presque à le haïr aussi.

Tony était maintenant seul dans sa voiture à attendre que Sandra Michaud termine son quart de travail. On avait décidé qu'il ne servait à rien de la surveiller à l'intérieur de l'hôpital. L'attendre était suffisant. De toute façon, sa voiture était encore dans le stationnement. Tony avait dit à Ève de prendre quelques heures de repos. Il faudrait qu'on soit en forme au cas où il se passerait quelque chose plus tard.

Le doute revenait. Peut-être faisaient-ils fausse route, songea-t-il. Peut-être qu'il s'agissait vraiment d'une guerre de gangs et qu'ils perdaient leur temps. Le mystère demeurait complet quant à savoir où pouvait se trouver Dumas. Aucune nouvelle depuis la veille. Pas de signe de vie. Il s'était volatilisé. Et pour un homme de sa taille, ça relevait du miracle.

De toute façon, si jamais Sandra Michaud et les autres étaient impliqués, il faudrait qu'ils fassent vite, car on avait annoncé que Dorval partirait demain matin.

L'hôtel était surveillé et on avait pris toutes les mesures pour assurer la sécurité du policier. Il avait un portable muni d'un GPS et un autre localisateur avait été installé dans l'une de ses chaussures. Rien ne pourrait arriver sans qu'on en soit aussitôt averti, se rassura-t-il.

Tony regarda sa montre. Vingt et une heures trente. Le temps passait à la vitesse d'un escargot handicapé. Sandra ne terminerait pas avant minuit. La patience n'était pas sa qualité première. Il en profita donc pour téléphoner à Lise.

***

Alex avait le sentiment que tout le monde suivait ses pas. Qu'on savait quel geste le groupe allait poser ce soir. Pourtant, c'était impossible. Néanmoins, Alex décida de faire comme si c'était le cas. Ce serait plus prudent. On ne savait jamais. Se procurer des seringues et des anesthésiants était d'une simplicité enfantine quand on savait où tout se trouvait dans l'hôpital et qu'on pouvait y accéder. Il fallait maintenant trouver un véhicule pour la nuit. Ce qui ne serait pas compliqué non plus. La plupart des employés laissaient les clefs de leur auto dans leur casier. Crocheter le cadenas et se les procurer ne s'avéra pas plus difficile. Il fallait maintenant sortir sans se faire voir et aller à l'hôtel sans attirer l'attention. Voilà qui serait un défi plus stimulant. Mais Alex avait déjà trouvé la solution.

Avec une casquette sur la tête et portant l'uniforme d'un garde de sécurité de l'hôpital volé à la buanderie, Alex sortit doucement vers vingt-deux heures. Personne ne remarqua rien.

* * *

Le sergent Heppell était de garde à l'hôtel. Il lui restait encore quelques heures avant d'être relevé. C'était probablement le travail le plus déprimant qu'il avait eu à faire. Il ne croyait pas que quelqu'un serait assez téméraire pour venir ici et tenter de kidnapper Dorval. Il aurait fallu être fou. Il était assis près de la porte dans la chambre qui faisait face à celle de Dupré, alias Dorval. À travers l'œil-de-bœuf, il pouvait voir ce qui se passait dans le couloir. Or, rien ne se passait dans ce foutu couloir, sauf peut-être des touristes qui entraient ou sortaient occasionnellement. Mais comme on avait fait en sorte que la chambre de Dorval soit isolée, il ne se passait pas grand-chose.

Il accueillit presque comme un divertissement cette femme de ménage avec son énorme chariot qui venait de tourner dans cette partie du couloir et qui approchait.

Elle cogna à sa porte. Heppell ouvrit.

— Je viens seulement changer les serviettes, dit la femme.

Elle semblait banale. Banale et fatiguée. Comme la plupart des femmes qui doivent s'astreindre à ces emplois et aux horaires brisés.

— C'est normal de faire ça aussi tard ? demanda-t-il.

— Non. Pas du tout. Mais avec tout ce qui s'est passé, on n'a pas pu faire le remplacement aujourd'hui. Alors c'est maintenant.

— Allez-y ! dit-il en laissant entrer la femme.

Quand même une drôle d'heure, songea-t-il. C'est vrai que les horaires avaient été perturbés, notamment à cause de tous les journalistes qui avaient fureté partout, toute la journée...

Quelques minutes suffirent pour faire le change-
ment de serviettes, replacer la literie et la femme de
chambre réapparut.

— Il ne me reste plus que la chambre en face à
faire et j'ai terminé ma journée. Bonsoir monsieur.

Heppell la laissa sortir et referma la porte. La
femme poussa son chariot jusqu'à la porte de Dorval où
elle frappa. Il entendit Dorval qui la laissait entrer. Ça va
l'occuper au moins quelques minutes, se dit-il. Pour lui
c'est encore plus emmerdant et en plus il y a toujours un
risque. Quoique…

***

Alex était dans la chambre de Dorval. Tout se
déroulait comme convenu. Comme elle l'avait prévu, il y
avait bien un policier dans la chambre devant celle de
Dorval. Probablement pour éviter que ce dernier ne fasse
des siennes. Il n'en aurait bientôt plus l'occasion. On ne
remarque jamais une femme de chambre. Il fallait faire
vite maintenant. Aussitôt qu'elle était entrée, l'homme
avait refermé la porte pendant qu'elle se rendait à la
salle de bain. Il l'avait suivie.

— Seriez-vous assez gentil pour me donner cette
débarbouillette derrière vous s'il vous plaît? lui demanda-
t-elle.

Aussitôt qu'il se retourna pour saisir la serviette,
Alex sortit la seringue et la lui enfonça dans le cou.
Dorval s'écroula sans un bruit. L'effet du sédatif était
foudroyant. Surtout à cette dose. Il dormirait profondément au moins une heure. Il fallait maintenant le mettre
dans le fond de son chariot. Mais Alex était suffisamment forte et sécrétait assez d'adrénaline pour que cette
opération se fasse non seulement très rapidement, mais
aussi en silence.

— Merci et bonsoir, monsieur, dit-elle comme si
elle s'adressait à quelqu'un en sortant de la chambre
maintenant déserte et en refermant la porte.

Et elle avança dans le couloir, poussant sa charge, un sourire sur les lèvres. Il avait fallu seulement deux minutes pour attraper le monstre de Paris. Payer sa dette prendrait beaucoup plus de temps.

***

Palomino attendait toujours. Ève ne tarderait certainement pas. La dernière fois qu'il avait regardé sa montre, il était onze heures dix. Ça faisait moins de deux minutes. Les aiguilles avançaient tellement lentement. Il vit sa coéquipière se pointer en même temps que son portable sonnait.

— Palomino, répondit-il

Quelques secondes s'écoulèrent pendant que l'interlocuteur parlait. Le visage de Tony se décomposait.

— Comment, vous les avez perdus ? cria-t-il. Comment c'est possible de perdre trois personnes qui jouent aux quilles ?

Il raccrocha en sortant de la voiture.

— Vite Ève. Y a peut-être une merde. Les gars ont perdu ceux qui étaient aux quilles. Je veux aller voir si Sandra Michaud est toujours à son poste.

— Bordel ! dit Ève.

Ils pénétrèrent dans l'hôpital en courant pour se rendre directement à la buanderie. Il leur fallut quelques minutes pour s'orienter et demander le chemin à des infirmières surprises de voir deux personnes armées dans les couloirs de l'hôpital.

Tony enfonça presque la porte de la buanderie et cria à la première personne qu'il vit :

— Je veux voir Sandra Michaud. Où est-elle ?

— Elle est déjà partie, répondit la femme intimidée. Elle se sentait pas bien et elle a quitté il y a une heure environ.

— Foutu bordel, lâcha Palomino. Elle nous a eus aussi ! Il faut prévenir l'hôtel.

Ève se lança sur le premier téléphone et composa frénétiquement le numéro du sergent Heppell qui répondit après quelques coups de sonnerie.

— Sergent Heppell.

— Sergent, Ève Saint-Jean à l'appareil. Est-ce que tout va bien de votre côté ?

— Absolument rien à signaler. Pourquoi ?

— Voudriez-vous aller vérifier si Dorval, enfin, si le policier est toujours là s'il vous plaît ?

—Il y est certainement. Je suis devant ma porte depuis des heures et il n'est pas sorti.

— Voulez-vous aller voir ? insista Ève.

— Donnez-moi une minute... Mais je comprends pas.

— Merci, j'attends...

Il fallut plusieurs secondes avant que le sergent ne revienne. Il était visiblement excité et essoufflé.

— Détective Saint-Jean... Il a disparu.

— Vous avez bien fouillé partout ? demanda Ève.

— C'est une chambre d'hôtel. C'est pas un amphithéâtre, c'est pas bien long pour en faire le tour, répondit-il, vexé. Mais j'comprends pas comment c'est possible. Il est jamais sorti.

— Il est rien arrivé de particulier durant la dernière heure ?

— Non ! Rien... Y a seulement la femme de ménage qui est venue changer les serviettes. C'est tout.

Ève avait déjà raccroché en entendant parler de la femme de chambre.

— Elle nous a eus, dit-elle à Palomino. Elle s'est déguisée pour aller chercher Dorval. Le sergent n'y a vu que du feu.

— Elle m'a bien eu aussi. J'ai aucune idée de la façon dont elle s'y est prise pour sortir de l'hôpital.

Tout en parlant, ils se dirigèrent en courant vers la sortie.

— Faut aviser Dufour. Il faut localiser Dorval avec le GPS. Tout de suite, dit Tony.

— Va voir Dufour. Moi je file à la maison de Michaud pour vérifier si elle est rentrée.

***

Quand Alex était arrivée à la ferme, ses trois complices l'attendaient déjà. Au fond de la voiture gisait Dorval qu'ils aidèrent à sortir pour le jeter par terre sans douceur. La ferme appartenait aux parents de Jean-Philippe Hugo qui, avec sa femme Lucie, faisait partie de leur petit groupe. La ferme n'était plus exploitée depuis que son père et sa mère avaient été contraints d'entrer à la résidence pour personnes âgées. Jean-Philippe se contentait d'y venir pour y maintenir un entretien minimal. Il y amenait aussi régulièrement ses parents qui adoraient toujours se retrouver dans ce qu'ils appelaient leur « vraie » maison.

Personne ne s'étonnerait donc de voir du monde ce soir, et personne ne viendrait les déranger. Il faudrait juste abandonner le cadavre ailleurs.

— Déshabillez-le, dit Alex. J'me suis déjà débarrassée de son cellulaire et de son portefeuille.

— Alors Sandra, on remet ça? dit Jean-Philippe. Ça a pas été trop dur de l'amener ici?

— Pas du tout, répondit-elle. Il s'attendait vraiment pas à ce qu'une petite femme de chambre puisse lui faire un coup pareil, ce pourri…

Elle lui donna un violent coup de pied dans l'estomac.

— Sac à merde. Prétentieux, comme tous les autres. On est au-dessus de tout. Y a pas de danger. Eh bien, maintenant, tu vas voir!

— Est-ce qu'il va se réveiller bientôt? demanda Lucie.

— Pas avant que nous ne soyons prêts.

Puis, regardant Lou, elle s'approcha et la prit dans ses bras.

— Alors, petite sœur. Tu es allée chercher les choses?

— Oui Alex. J'ai tout ici, répondit-elle en regardant Dorval, l'air dégoûté. Comment un homme peut-il faire autant de mal autour de lui et être toujours capable de se regarder dans un miroir ?

— Et comment le reste du monde, qui sait ce qu'il a fait, peut-il le laisser se promener partout et continuer à vivre sa vie ? C'est pour ça qu'on est là. On va rendre justice aux petits anges qui ont été tués par cette bête. Comme on l'a fait pour les autres.

Jean-Philippe avait terminé de dévêtir Dorval qui gisait maintenant nu.

— Fais moi disparaître tout ça, lança Lucie à Jean-Philippe. J'veux pas voir ça à la ferme.

— Pas de problème. J'ai tout prévu.

Il fit un tas avec les guenilles et s'éloigna vers la maison où un feu dans l'âtre réchauffait l'ancienne cuisine. Les autres apportaient le corps dans la grange.

***

Palomino ne dérageait pas. Il s'en voulait. Il s'était fait avoir comme le dernier des derniers. Parce qu'au fond de lui-même il n'avait pas vraiment cru à la théorie de Saint-Jean et de Dubuc. Et pourtant, ça expliquait tout. Il tournait en rond autour du bureau de Dufour. « Non mais quel con j'ai été de laisser faire tout ça, se disait-il. Comment on peut être aussi con ? C'est pas croyable ! »

En sortant de l'hôpital, il s'était rendu directement aux bureaux de la police où Dufour était déjà au courant et tempêtait pour qu'on localise le policier qui jouait le rôle de Dorval. Tous les policiers étaient en alerte.

— Comment ? Vous savez pas où il est ? crachait Dufour. Il a deux GPS sur lui et vous savez pas où il se trouve ? Non ! J'veux pas d'excuse ni d'explication. J'veux que vous me disiez où il est. Immédiatement.

Et il raccrocha violemment.

— Qu'est-ce qui se passe ? demanda Palomino.

— On l'a perdu. C'est simple, répondit Dufour avec colère. On a retrouvé le cellulaire à la sortie de l'hôtel. Il a probablement été abandonné par Sandra Michaud, lança Dufour. En plus, ils ont perdu la trace de l'autre GPS près de Sainte-Odile.

— Sainte-Odile ? demanda Dubuc qui était aussi inquiet que les autres. Donnez-moi une seconde.

Et le profileur se rua sur son ordinateur. Il tapait aussi vite qu'il le pouvait pour obtenir l'information qu'il recherchait.

* * *

Ève Saint-Jean avait foncé dans les rues peu achalandées de Rimouski pour aller chez Sandra Michaud. Elle y était arrivée en quelques minutes. Tout était tranquille. Aucune lumière. Aucun signe de vie. Elle sortit son revolver de l'étui et s'approcha doucement de la porte pour jeter un coup d'œil à l'intérieur. Toujours rien. Si Michaud était là, elle dormait peut-être. Elle avait dit être malade. Si elle avait dit vrai, elle devait être couchée et dormir. Il fallait en avoir le cœur net immédiatement.

Elle cogna à la porte en criant : « Police. Sandra Michaud, ouvrez... » Comme rien ne bougeait après quelques secondes, Ève décida de contourner la maison. Elle brisa la fenêtre de la porte arrière pour entrer. Le silence le plus complet régnait. Elle cria encore une fois : « Police. Sandra Michaud, sortez tout de suite ! » Toujours rien...

Rapidement, elle fit le tour des pièces. Personne. Sandra Michaud leur avait donc filé entre les doigts. En regardant près de l'ordinateur de Michaud, Ève aperçut une petite boîte sur laquelle avait été laminée la photo d'un petit garçon. Sous la photo avait été gravé :

« À mon fils chéri, mon amour et mon ange. »

Ève prit le coffret et l'ouvrit. À l'intérieur, plusieurs photos de l'enfant qui devait avoir environ huit ou neuf ans. Il était magnifique. Il y avait aussi plusieurs lettres que Sandra Michaud lui avait adressées pour lui dire comment il lui manquait. Ève fouillait rapidement. Même en sachant que c'était indispensable, elle avait l'impression de trahir un lieu secret où personne n'aurait dû aller. Un minuscule sanctuaire réservé à l'amour d'une mère pour son enfant disparu. Pas seulement disparu, se rappela Ève. Sauvagement battu, violé, abusé, et abandonné lâchement dans un bois où il avait connu une fin horrible. C'était un martyre. Ève fut soudain envahie d'une rage incroyable pour ceux qui avaient agi ainsi envers un enfant. Elle regardait les lettres et les photos, les yeux pleins de larmes. Elle allait refermer la boîte, en signe de respect pour ce petit temple quand elle entrevit d'autres documents. Au fond du coffret se trouvaient les papiers d'identité d'Auger, de Verdun et des autres personnes qui avaient été torturées et abattues.

Elle prit son cellulaire et composa immédiatement le numéro de Tony.

***

Palomino, qui était tout juste derrière Dubuc, regardait l'écran de l'ordinateur du profileur où s'alignaient des informations de toutes les sortes. Dubuc continuait à interroger frénétiquement ses banques de données. Le portable de Tony l'interrompit.

— Oui, Palomino à l'écoute…

— Tony, c'est Ève. C'est bien Michaud qui est derrière tout ça. Je viens de trouver chez elle les papiers d'identité de tous les cadavres de cette semaine. Faut immédiatement découvrir où elle est.

— On travaille là-dessus.

— Je suis en route pour vous retrouver.

— Attends une seconde…

Dubuc venait de découvrir ce qu'il cherchait.

— J'sais où ils le détiennent. Dans une ferme juste avant le village de Sainte-Odile, cria-t-il en griffonnant une adresse sur un bout de papier. La ferme appartient aux parents du petit Hugo.

Tony prit la note et reprit le téléphone :

— Ève, ils sont à Sainte-Odile, sur une ferme. On s'y rejoint le plus vite possible, lui cria-t-il en raccrochant.

Dufour avait immédiatement réagi en contactant la centrale des communications.

— On y va, hurla Tony en sortant de la pièce. Dufour, envoyez vos hommes à l'adresse que va vous donner Dubuc. On se retrouve là-bas.

Palomino s'éloignait déjà en vérifiant son arme.

* * *

Jules Dupré, alias Dorval, sortait lentement des brumes que le soporifique avait refermées sur lui. Il se sentait la bouche sèche et, constata-t-il, il se sentait ankylosé. Tout était noir autour de lui. Ses yeux refusaient obstinément de s'ouvrir. Il avait l'impression que ses paupières étaient montées sur des gonds rouillés qui ne voulaient pas bouger. Il entendait pourtant du bruit. Des gens parlaient. Mais il ne comprenait pas les mots.

Était-il encore dans sa chambre à l'hôtel et il avait eu un malaise ? Ça n'avait pas de sens. Tout doucement, les souvenirs lui revinrent. Il s'emmerdait ferme, tout seul à écouter la télé. Puis, quelqu'un avait cogné à la porte. Il s'était levé pour aller ouvrir. La femme de chambre attendait sur le seuil. Une petite femme, ordinaire, mais avec de beaux yeux tristes, qui voulait changer les serviettes. Puis, tout s'embrouillait. Il se souvenait l'avoir suivie, s'était retourné pour ramasser quelque chose, puis... plus rien.

Combattant la nausée qui l'envahissait, Dupré essayait de forcer ses yeux à s'ouvrir. Il se sentait étourdi et le sang lui montait à la tête. Il avait beaucoup de mal à voir. Des larmes remplissaient ses yeux l'empêchant de reconnaître ce qui l'entourait. Et il avait horriblement mal aux pieds. Il se donna encore quelques secondes pour que son corps s'habitue. Il était dans une position inconfortable. Si la chose avait été possible, il aurait dit qu'il était suspendu par les jambes. Son esprit lui jouait des tours.

Il fit une autre tentative pour voir autour de lui. Incroyable ! Le monde était à l'envers. Des gens se promenaient la tête en bas. Non... C'était lui qui avait la tête en bas. Il était bien accroché par les pieds. Il sentait maintenant les chaînes lui taillader les chevilles.

Qu'est-ce qu'il faisait dans cette position ? Qui étaient ces gens ? Il essayait de parler, mais sa langue prenait trop de place dans sa bouche pour lui permettre de prononcer des mots. Il émit une espèce de grognement. Tous les regards se tournèrent vers lui.

— Tiens, tiens ! On se réveille ? demanda une femme.

Était-ce la femme de chambre ? Dupré n'aurait pu le jurer, mais c'était possible.

— Où suis-je ? tenta-t-il de dire en bredouillant.

— Je crois qu'il se demande où il est, dit la femme en riant.

Ils étaient quatre et le regardaient avec une lueur sauvage dans les yeux. Mais, bordel de Dieu, qu'est-ce qui se passe ? tentait-il de comprendre. Puis, en un éclair, tout devint limpide. On l'avait kidnappé. Il jouait le rôle d'un pédophile et quelqu'un l'avait sorti de l'hôtel pour l'amener ici. La panique s'empara de lui. Ces gens avaient déjà torturé et tué quatre personnes. Et ils avaient bien l'intention de recommencer avec lui.

— Vous faites erreur, parvint-il à dire. Je ne suis pas celui que vous pensez.

Il n'avait pas pu en dire plus. Un retentissant coup de poing lui écrasa le foie, lui coupant le souffle et lui arrachant un cri de douleur.

— Tiens, on est douillet ? dit l'homme. On a un petit bobo ?

Sans lui permettre de se remettre, il lui asséna un coup sur la figure. Dupré sentit le sang couler de sa bouche. Il avait probablement une dent cassée.

— On s'est pas trompés, reprit la femme. Nous t'avons condamné et cette fois, tu vas payer pour tout le mal que tu as fait. Pour toutes les horreurs que tu as fait endurer à des enfants.

Elle se tourna vers les autres et leur cria :

— On va lui faire goûter à sa médecine. Pas vrai ?

Dans un ensemble déconcertant, les quatre personnes s'approchèrent en criant et le ruèrent de coups. Dupré bénit le ciel de perdre connaissance.

* * *

Palomino conduisait comme un dément. Le moteur rugissait et les pneus hurlaient dans toutes les courbes. La sirène lui ouvrait la voie et il prenait d'énormes risques quand les automobilistes mettaient trop de temps à céder le chemin. Les autres voitures de police suivaient certainement. Le capitaine avait dû les alerter. Il fallait arriver à temps. Sauver Dupré. Si c'était encore possible.

En regardant dans son rétroviseur, il vit une autre voiture banalisée, sirène hurlante, qui prenait le tournant sur les chapeaux de roues et entrait dans son sillage. Ève est encore plus folle que moi au volant, se dit-il, certain qu'il s'agissait de sa coéquipière. Il accéléra encore. Plus que quelques instants avant d'arriver. Soudain, il vit la ferme qui se profilait au loin. Il éteignit la sirène et les phares pour emprunter la petite route qui menait à la maison. Ève avait fait exactement la même chose.

Tony avait bondi de l'auto pour aller rejoindre Ève. Tout était étrangement calme. Un calme surnaturel.

Pistolet au poing, les deux détectives s'approchaient de la maison. Rien ne bougeait. Mais quelqu'un était passé puisque de la fumée sortait de la cheminée, indiquant qu'un feu brûlait encore. Lentement, ils montèrent les marches conduisant à la porte d'entrée.

Tony trouvait étrange qu'il n'y ait aucun mouvement. Le silence était assourdissant. Même les insectes s'étaient tus. Le calme avant la tempête, se dit Ève. Sans un bruit, Palomino et Saint-Jean firent le tour des fenêtres. Puis... un cri de douleur déchira la nuit. Le cri venait de la grange.

***

Dupré était revenu à lui. Mais cette fois, le retour à la réalité s'était fait instantanément. Il savait parfaitement où il était et ce qui l'attendait. C'est étonnant, se dit-il, comment l'esprit et le corps peuvent parfois se dissocier. Il se voyait, comme une pièce de viande que le boucher attendrissait à coups de marteau. Tout ça avec un détachement qui le surprenait lui-même.

Le goût du sang lui emplissait la bouche. Les quatre tortionnaires étaient toujours autour de lui.

— Re-bienvenue avec nous en enfer, dit l'une des femmes. On te préparait justement une petite surprise. Mais cette fois, s'il te plaît, tombe pas dans les pommes tout de suite. Prends le temps de souffrir un peu...

— Je suis pas celui que vous pensez. Vous allez commettre une erreur, commença Dupré avec son accent français.

Il reçut un violent coup dans les côtes ce qui encore une fois lui coupa le souffle.

— Trou du cul, dit l'homme. Penses-tu que les enfants que tu as torturés avaient mérité ce que tu leur as fait ?

L'homme lui asséna encore quelques coups au visage. Dupré sentit son nez exploser sous la force des impacts. Il fallait tenir. Leur faire comprendre le malentendu. Il se raccrochait à cette idée, sachant pourtant bien que des criminels, rendus à ce point, n'arrêteraient pas pour une banale erreur sur la personne.

À ce moment, celle qui semblait être la chef du groupe s'empara de cisailles qu'elle examinait d'un œil expert.

— Ce sera parfait, annonça Alex. Dans son cas, ça ne suffit pas de briser les os des mains. Il faut, je crois, lui couper les doigts. Tout simplement.

La seule ampoule électrique allumée au centre de la pièce dansait au bout de son fil. Comme moi, pensa Dupré. Elle éclairait chichement les lieux en créant des

ombres démesurées. Les yeux de ses tortionnaires reflé-
taient la folie de vengeance qui les animait.

— Oui, vas-y, dit Louise, coupe-lui les doigts. Un
à la fois.

Sandra, approchait un Dupré terrifié. Il lança un
hurlement d'horreur qui fit rire ses agresseurs. La fin
approchait. Mais s'il fallait en finir, Dupré aurait souhaité que ça se passe le plus rapidement possible. Une
balle dans la tête. Il savait qu'il prenait des risques en
acceptant la mission. Mourir faisait partie des risques du
métier. Mais mourir de cette façon l'horrifiait.

Chapitre 14

Ève et Tony s'étaient élancés vers la grange en entendant les cris. Sans un mot, Tony ouvrit la porte aussi silencieusement que possible. Les hurlements provenaient d'une pièce de travail, probablement un atelier, au fond de la grange. Tout le reste était sombre.

D'un geste, Ève indiqua à Tony de prendre la droite alors qu'elle prendrait l'autre côté. Ils arrivèrent ensemble près de la porte pour jeter un coup d'œil à l'intérieur. Le spectacle qui s'offrait à eux relevait de la pure démence. Dupré était nu, accroché par les pieds à une chaîne qui pendait du plafond. Certainement un palan utilisé pour de grosses réparations sur la machinerie de ferme. Il avait le visage tuméfié et ensanglanté. Autour, les quatre tortionnaires bougeaient dans une espèce de danse macabre. Sandra Michaud, le regard complètement fou, s'approchait de Dupré avec des cisailles. Jean-Philippe lui avait empoigné les mains pour les tenir immobiles. Un sourire sadique sur les lèvres, jouissant d'avance du spectacle qui allait commencer.

Ève était pétrifiée devant tant de violence.

Palomino se plaça devant la porte et cria:

— Police, que personne ne bouge !

Ève réagit instantanément et se mit à ses côtés pour les tenir en joue. Jean-Philippe était trop loin sur le chemin de la folie pour comprendre ce qui se passait. Il lâcha les mains de Dupré pour s'élancer vers ceux qui interrompaient la cérémonie. Les mains tendues, comme un taureau qui charge, pour les saisir au cou et les égorger. Il fut arrêté en pleine course et tomba sans comprendre ce qui venait de se passer. Palomino avait tiré à la tête, stoppant l'homme en plein élan.

Réalisant ce qui venait de se passer, Lucie se jeta sur son mari, en pleurant.

— Non Jean-Philippe ! Non… Ne m'abandonne pas toi aussi. Jean-Philippe …

Elle s'agenouilla et lui souleva la tête pour l'enlacer tendrement. Elle pleurait en berçant délicatement son mari qui était parti en pleine démence.

— Non… répétait-elle. Non ! Ne me laisse pas toi aussi. Qu'est-ce que je vais devenir. J'pourrai pas vivre.

Ève tenait toujours en joue Louise et Sandra qui regardaient la scène. Louise semblait tétanisée. Elle jetait un regard autour, et semblait réaliser ce qu'ils avaient fait. Elle tomba aussi à genoux et se mit à pleurer.

Pour Sandra, l'arrivée des intrus ne changeait rien à la mission qu'elle devait remplir. Profitant d'un instant d'inattention des policiers, elle se jeta sur son arme restée sur l'établi. Elle fit immédiatement feu sur Palomino. Du coin de l'œil, le policier avait vu le mouvement de Michaud et s'était instinctivement jeté par terre pour éviter le pire. La balle l'avait atteint à l'avant-bras.

Sandra s'était élancée vers la sortie en continuant de tirer. Ève avait répliqué manquant sa cible de quelques centimètres. Michaud courait déjà à l'extérieur quand Saint-Jean se rua vers Palomino pour l'aider.

— Ça va ? demanda-t-elle.

— T'inquiète pas, rattrape-la. Je m'occupe des autres.

Ève s'élança en courant à la poursuite d'Alex.

Tony se remit debout et s'approcha de Lucie qui tenait toujours son mari. Il fit signe à Louise.

— Venez, lui dit-il. Venez ici et couchez-vous par terre, les mains sur la tête.

Louise s'exécuta. Elle semblait complètement défaite. Elle s'approcha de Lucie qu'elle serra dans ses bras quelques secondes avant de s'étendre, face contre terre.

Le policier savait qu'il aurait dû leur passer les menottes. Mais son bras lui faisait horriblement mal et les deux femmes semblaient inoffensives pour le moment. Il voulait surtout dégager Dupré le plus vite possible. Il en avait assez enduré.

Tony les tenait en joue et s'approcha du policier suspendu.

— Tu tiens le coup, mon vieux? lui demanda-t-il.

— J'ai connu mieux, parvint-il à répondre.

Dupré aurait bien souri, mais les plaies sur son visage l'en empêchaient. Tony cherchait des yeux le mécanisme qui permettait de faire descendre le palan et de libérer le policier. Il aperçut enfin le dispositif un peu en retrait. Comme il s'approchait du mur, Tony déposa son arme pour essayer de détacher la chaîne. Son bras paralysé ne rendrait pas la chose facile. Il saignait abondamment.

De sa main valide, il s'acharnait après le nœud.

— Vous ne pouvez pas le libérer. Il faut le tuer, cria Lucie.

Voyant ce que Palomino s'apprêtait à faire, elle avait laissé son mari pour s'emparer d'une hache qu'elle brandissait au-dessus de sa tête en s'avançant vers Dupré.

***

Ève Saint-Jean n'avait pas mis longtemps pour apercevoir Sandra Michaud et s'élancer à sa poursuite. Tenant toujours son arme à la main, Michaud courait vers le bois qui se trouvait à quelques centaines de mètres de la ferme. Elle courait à travers le champ, suivie d'Ève qui se rapprochait.

Ève savait qu'elle devait la rattraper avant que Sandra ne s'enfonce dans la forêt. Avec la nuit, elle aurait beaucoup de facilité à s'enfuir. Jetant un coup d'œil vers la ferme, elle aperçut les voitures de police qui arrivaient maintenant en grand nombre. Elle était trop loin d'eux pour leur faire savoir qu'elle poursuivait l'une des criminelles. Elle devait se débrouiller et la rattraper.

— Rendez-vous Sandra, cria-t-elle. Vous n'avez aucune chance de vous échapper.

Michaud ne se retourna même pas. Pas plus qu'elle ne ralentit. Elle voyait l'asile que lui procurerait la forêt si elle parvenait à s'y rendre avec un peu d'avance. C'était sa chance de s'en tirer. Elle n'avait absolument pas peur de mourir. Elle aurait même accueilli la mort avec soulagement. Mais il lui restait des gens à trouver et à exécuter avant que sa tâche ne soit complétée. Elle consacrerait sa vie à rendre justice aux enfants qui avaient été abusés. C'était la mission que lui avait confiée son fils. Elle l'accomplirait. Ou elle mourrait.

Ève voyait Michaud lui échapper. Elle s'arrêta.

— Arrêtez. Immédiatement, lui cria-t-elle encore.

Sans plus de résultat. Ève leva son arme et retint sa respiration pour ajuster son tir. Sandra Michaud allait disparaître dans le bois. Elle fit feu.

***

Tony se retourna instantanément en entendant Lucie crier. Il comprit qu'elle allait frapper Dupré. Son arme était trop loin pour qu'il puisse l'attraper et intervenir.

— Arrêtez Lucie. Ce n'est pas l'homme que vous croyez, lança-t-il. Vous faites erreur.

Lucie retint son geste. Pendant une fraction de seconde, le doute l'avait envahie.

— Vous mentez, dit-elle enfin. C'est lui. On l'a vu à la télé. C'est un monstre. C'est un homme comme lui qui a tué mon petit garçon. Il va mourir.

— Non ! Vous vous trompez. C'est un policier.

Tony essayait de trouver les mots pour convaincre Lucie de ne pas frapper Dupré à coups de hache.

— C'est un piège que nous vous avons tendu. L'histoire que vous avez entendue est fausse d'un bout à l'autre.

Lucie réfléchissait intensément. La lame de la hache était soulevée, prête à traverser le corps pendu au bout de la chaîne. Pendant un instant, Palomino crut apercevoir une lueur de lucidité dans les yeux de Lucie. Il tenta d'en profiter.

— Nous pensions que quelqu'un se vengeait des pédophiles. Nous avons créé l'histoire de Dorval de toutes pièces. Pour vous forcer à agir. Pour être capables de vous arrêter. Cet homme n'a rien fait. C'est un policier.

Lucie était immobile. Ses bras étaient prêts à frapper. Elle semblait peser le pour et le contre. Le policier disait-il la vérité? Ou est-ce que la justice essayait encore de sauver un criminel en le laissant continuer à terroriser des enfants? Puis, soudain, sa volonté se raffermit. Sa décision était prise. L'homme qui pendait devant elle était un criminel. Un monstre qu'il fallait éliminer. Elle allait en terminer avec lui.

— Mon seul regret, dit-elle, c'est que tu vas mourir trop rapidement.

Elle leva la hache pour donner le coup de grâce.

— Non! Non! cria Palomino.

Un coup de feu retentit. Tony ne pouvait détacher ses yeux de la hache qui allait s'abattre. Le temps sembla suspendu. Lucie fut surprise de voir du sang jaillir de son estomac. Elle regardait, incrédule, le liquide rouge qui coulait sur son chandail. La hache lui échappa des mains et tomba sur le sol dans un bruit sourd. Lucie mit ses mains sur le sang et les regarda.

Elle se tourna ensuite, très lentement, vers Louise qui la regardait en pleurant.

— Louise, supplia-t-elle. Dis-moi que c'est nous qui avons raison. C'est bien, ce qu'on a fait. Hein, Louise?

Lucie s'écroula enfin. Elle était morte avant d'avoir atteint le sol. Elle n'entendit jamais la réponse. Louise s'était levée et avait pris Lucie dans ses bras en pleurant.

— Oui, Lucie. C'est nous qui avons raison. Il fallait les éliminer. Pour tout le mal qu'ils ont fait et qu'ils feraient encore. Tu peux maintenant rejoindre ta famille l'esprit en paix.

Tony regardait la scène. Pour la première fois, il comprenait le drame que ces parents avaient enduré. Il se tourna vers la porte où se tenait le capitaine Dufour, l'arme au point, une petite fumée bleue s'échappant du canon. Lui aussi avait enfin compris.

***

Sandra Michaud s'était écroulée quelques mètres avant la forêt. Elle avait senti la balle lui traverser la poitrine, évitant le cœur, mais perforant le poumon. Ses minutes à vivre étaient comptées. Elle entendit les pas se rapprocher.

— Lâchez votre arme. Lâchez votre arme, ordonna Ève Saint-Jean.

Sandra se tourna lentement parce que la douleur affluait rapidement, risquant de la submerger. Elle sembla reconnaître la policière qui était venue la visiter.

— Finalement, vous avez réussi à établir un lien entre moi et les meurtres? demanda-t-elle en esquissant un sourire.

Ève continuait à pointer son arme sur Michaud, assise dans l'herbe humide dont la main étendue le long de son corps tenait toujours le revolver.

— On n'était pas certains, mais il y avait des indices qui pouvaient laisser croire qu'il s'agissait de vengeance, répondit Ève.

— Est-ce que c'est vrai que l'homme que j'ai enlevé est policier?

— Oui... C'était un piège pour vous forcer à recommencer. Mais vous nous avez bien possédés.

— J'y avais pensé, mais je voulais pas le croire.

Sandra Michaud toussa et cracha un peu de sang.

— Vous croyez qu'on a mal fait? continua-t-elle.

— C'est pas à moi de le dire.

— Savez-vous ce que c'est de perdre un enfant? Pouvez-vous imaginer la douleur qui nous arrache le

cœur quand on se rend compte des traitements que des
bêtes lui ont fait subir ?

Ève ne savait quoi répondre. Depuis déjà quelques
jours elle soupçonnait la vérité derrière ces crimes. Et,
au fond, elle comprenait. Elle ne pouvait accepter, mais
elle comprenait.

— J'ai vu le coffret sur votre bureau, avoua Ève
Saint-Jean. J'ai vu les lettres que vous avez écrites à votre
fils.

— Je suis contente. Ne vous sentez pas coupable
d'y avoir jeté un coup d'œil. Comme ça, vous savez un
peu mieux ce que je vivais.

La voix de Michaud baissait. Ce n'était déjà plus
qu'un soupir.

— Quand j'ai perdu mon enfant, ma vie s'est
arrêtée. Il n'y avait plus rien. Une mère ne peut pas
véritablement survivre à la mort de son fils unique.
Surtout quand son petit ange a été torturé. Avec mon
mari, on a quitté tout ce qui pouvait nous le rappeler et
on est venus vivre ici. Près de ma sœur.

— Oui, je sais.

Michaud continua comme si elle se parlait à elle-
même. Comme si elle faisait le bilan.

— Mais l'horreur nous a rejoints ici. Le fils de
Jean-Philippe et de Lucie a été tué. C'était mes voisins.
Je l'avais vu grandir. Je l'avais aimé et Lucie me laissait
le gâter... Il a été tué dans des circonstances aussi horribles que mon fils. Satan guidait les esprits qui ont
harcelé cet enfant. Ils l'ont brisé, meurtri et tué. C'était
trop pour un si petit corps.

Ève écoutait. La peine emplissait son cœur et
jaillissait dans ses yeux. Elle sentait la douleur de cette
mère. Cette plaie encore aussi vive qu'au premier jour et
qu'étaient venus encore raviver les autres drames qu'elle
avait vécus ici.

— Oui... Je comprends, chuchota Ève Saint-Jean.

— Mon mari n'a pu accepter cette série de catastrophes qui ne cessaient de nous arriver. C'était un homme

bon. Un père merveilleux. Mais, comme souvent quand les hommes sont trop bons, ils sont aussi trop faibles. Il n'a pas pu accepter cet autre drame qui survenait si près de nous.

Une autre quinte de toux interrompit Sandra Michaud. Le sang coulait maintenant régulièrement autant de sa bouche que de sa poitrine. Le sol était rouge autour d'elle.

— Je ne sais pas pourquoi je n'ai pas suivi mon mari. Peut-être au fond que je n'avais pas le courage de le faire. J'ai commencé à écrire à mon garçon. Je lui disais tout. J'allais aussi voir ma sœur. Mais je ne voulais pas m'attacher à sa fille parce que tous les enfants que j'aimais mouraient.

Sandra s'arrêta encore. Ève voulut s'approcher pour l'aider. Sandra leva l'arme qu'elle tenait toujours à la main.

— Non. Ne me touchez pas. Ne m'aidez pas, ordonna-t-elle dans un murmure.

Ève recula en gardant aussi son pistolet pointé sur Alexandra.

— Quand ma nièce a été attaquée, j'ai été convaincue que si je n'étais pas morte, c'est que j'avais une mission à remplir ici avant de mourir. J'ai formé un groupe. Pendant des mois, nous nous sommes rencontrés pour parler de notre tristesse et de la haine que nous gardions pour ceux qui ont abusé de nos enfants. De loin, on continuait à les surveiller. Quand nous nous sommes rendu compte que la justice ne les punissait pas, mon rôle dans tout ça est devenu clair. J'ai fait la promesse de venger les enfants. De venger tous les anges qui ont été broyés par des être ignobles. J'ai promis à mon fils de leur faire connaître la douleur qu'ils lui ont infligée.

La toux l'empêcha de continuer. Sandra souffrait. Mais c'était un mal physique. Son esprit était ailleurs. Tourné vers son fils, vers son petit voisin, vers sa nièce, vers tous les autres enfants qui avaient été sauvagement agressés. Son esprit était aussi tourné vers son mari qu'elle avait tant aimé. Elle regarda la policière qui se tenait debout devant elle. Pendant un instant, Sandra su qu'elles se comprenaient parfaitement.

— Je ne crois pas qu'on ait eu tort, parvint-elle à dire.

Elle lui fit un petit sourire que la douleur faisait ressembler à une grimace. Soudainement, elle leva son arme et se tira une balle dans la tête.

Ève laissa ses bras tomber de chaque côté de son corps. Seule dans la nuit à l'orée de la forêt, elle se mit à genoux et commença à pleurer en priant pour cette mère.

Chapitre 15

Tony Palomino, alité dans une chambre à l'hôpital, examinait le plâtre qui couvrait son bras droit. La balle qui l'avait atteint avait aussi, en traversant l'avant-bras, broyé une partie du cubitus. Les chirurgiens avaient dû ajouter un bout de métal pour réunir les deux parties de l'os qui prendrait bien plusieurs semaines à guérir. Il se demandait comment il mettrait un vêtement convenable avec ce truc. À moins que Versace n'ait commencé à créer aussi des cotons ouatés, ce dont il doutait.

Il se savait mauvais joueur en pensant cela. Il était conscient d'avoir été très chanceux dans l'aventure. Il aurait réagi une fraction de seconde moins vite et la balle le frappait en plein cœur. Il faudrait donc faire avec. Il n'avait pas le choix.

Le capitaine Dufour cogna à la porte de sa chambre.

— On peut vous déranger? questionna-t-il.

— Aucun dérangement. Comment va Dupré?

— Il s'en remettra. Mais il a eu une peur terrible. Il en a pour quelques jours avant de sortir d'ici. Et probablement quelques mois avant d'être à l'aise avec l'aventure.

— On est arrivés juste à temps, je pense. Le petit groupe se préparait à entrer dans le vif du sujet, si on peut dire, quand Ève et moi on a fait irruption.

Dufour prit une chaise et l'approcha du lit de Palomino.

— Si j'ai bien compris, ils ont dû mettre une rallonge aux grands moyens pour rafistoler votre bras ?

— Et ce n'est pas une figure de style. J'ai vraiment une tige métallique dans le bras maintenant. Dorénavant, quand je prendrai l'avion, c'est certain que je vais faire sonner leurs foutues machines.

— C'est plus que probable, répondit Dufour en souriant.

Le capitaine se leva.

— Je passais simplement prendre de vos nouvelles. Pour vous dire aussi que vos patrons ont décidé que vous étiez suffisamment en forme pour tenir une conférence de presse cet après-midi avec moi. Vous vous souvenez, il faut dire aux journalistes ce qui s'est passé et qui sont les coupables.

— Oui…

Palomino hésitait. Certains souvenirs de la fin de la nuit lui échappaient. Ils s'étaient dilués dans la douleur et la fatigue.

— Si j'ai bien compris, il ne reste que Louise, dit-il.

— Les autres sont morts. Vous avez vu ce qui est arrivé à Lucie et à Jean-Philippe. Pour ce qui est de Sandra Michaud, elle s'est suicidée plutôt que de se rendre… En tout cas, ce sera la version officielle.

— Vous n'y croyez pas ?

— Ah oui ! Bien sûr. C'est certain qu'elle s'est suicidée. Je trouve quand même tragique tout ce qui est arrivé. Ève m'a tout raconté. Elle est très ébranlée. Et puis, au fond, j'me demande un peu moi aussi où est la justice dans tout ça.

— C'est pas parce qu'il y a des brèches dans le système que la justice n'est pas efficace, dit Palomino. Mais je comprends très bien que les victimes d'agressions criminelles se posent la question. Nous vivons dans un drôle de monde. Et quand je dis « drôle » j'devrais dire inquiétant. Ma mère dit souvent que, de son temps, ces choses-là n'arrivaient pas. Mais je me demande… est-ce qu'elles n'arrivaient pas ou est-ce seulement qu'on n'en entendait pas parler… Il faut dire aussi qu'il y a beaucoup plus de monde sur la Terre aujourd'hui qu'il y a cinquante ans. Et encore plus qu'il y a cent ou deux cents ans. Alors, si on est plus nombreux, le nombre de malades et de déséquilibrés a certainement aussi augmenté… Non, j'sais pas trop quoi penser de tout ça, philosopha-t-il.

Dufour se massa le front et se passa la main dans ses cheveux coupés en brosse.

— Au fond, ça veut peut-être dire qu'il est temps que j'arrête aussi. Que je prenne le temps de profiter de ce qui me reste. Je viens de réaliser que j'ai des enfants que j'aime et que je ne vois presque jamais. Je connais même pas mes petits-enfants. Il est plus que temps que je remédie à tout ça…

— Vous avez fait du bon travail, répliqua Tony. Tous vos hommes vous aiment et vous respectent. Ça veut quand même dire quelque chose, non ?

— Vous avez peut-être raison… Mais il faut parfois savoir changer ses priorités de vie. C'est là que je suis rendu…

Dufour s'approcha de la sortie.

— J'ai encore un peu de temps pour réfléchir à tout ça, ajouta-t-il en se retournant.

Dufour, avant de sortir, fit ce qui lui semblait être le geste le plus approprié. Il se mit au garde-à-vous et salua militairement.

— On se voit tout à l'heure à la conférence de presse… ajouta-t-il.

***

Le bateau s'approchait du quai. Un Penny 3 de vingt-six mètres que Big avait loué la veille. C'était un bon yacht luxueux et puissant. Assis dans un confortable fauteuil capitaine à l'arrière du bateau, Big était en conversation avec son patron.

— Oui Pop. C'est des bonnes femmes qui ont tué nos gars. Des mères qui vengeaient leurs enfants, si j'ai bien compris.

— Et explique-moi encore pourquoi elles ont tué nos gars ?

— Avant que Dumas ne les engage, ils avaient été mêlés à des affaires de pédophilie. Ils avaient violé et battu des jeunes ou quelque chose dans le genre. C'est pour ça aussi qu'elles ont tué Fortier. Dans son cas, ça fait presque mon affaire. Tu sais comme moi qu'y a des crapauds qui ont plus de moralité que ce gars-là en avait...

— J'déteste les pédophiles. Si j'avais su... J'aurais probablement demandé moi-même qu'on les abatte. Tu sais que j'ai des enfants. Et si jamais y en a un qui leur touche, j'peux te jurer qu'il le regrettera longtemps.

— Ça veut surtout dire que c'est pas une question de territoire.

— Qu'est-ce qui se passe avec les Black Pistoleros ? s'informa Pop.

— J't'ai dit qu'on a une entente avec Capelli, le bras droit de Moresmo. Ses gars vont se charger de leur faire comprendre qu'il faut pas remettre en question les ententes et les territoires. J'pense que c'est une bonne chose pour nous. Le travail va être fait et on touche à rien.

Il y eut une pause un peu plus longue.

— Y a une contrepartie, ajouta Big.

— Quelle sorte de contrepartie ?

— On a peut-être été un peu vite quand on a décidé de lancer des avertissements...

— Fallait faire quelque chose. On pouvait pas rester à attendre que quelqu'un d'autre décide encore d'éliminer nos gars. Tu le sais très bien... C'est la règle de base. Si les gens te respectent pas, t'es fini... Alors c'est quoi la contrepartie ?

— T'as fait tuer le cheval de Moresmo et la mafia, pour une fois, avait rien à faire là-dedans. En plus, Moresmo le saura probablement jamais, mais son gars, Capelli, c'est lui qui va intervenir auprès des Black Pistoleros.

— Accouche Big. Crache le morceau. J'ai pas besoin d'être attendri comme pièce de viande.

— Ben, y a des bonnes chances pour qu'ils te rendent la monnaie de ta pièce. J'sais pas ce qu'ils vont faire, mais ils vont te faire un coup. Ça c'est sûr !

Le silence se prolongea. Big sentait que son patron réfléchissait. Mais, si Pop était un homme fier et conscient de son rôle de chef, c'était aussi un gars équitable. Étonnant à dire pour un type comme lui qui dirigeait l'un des gangs criminalisés les plus influents et les plus violents au pays.

— OK ! répondit-il enfin.

— Excuse-moi, mais « OK » quoi ? demanda Big.

— OK tout court. On verra et on réagira ensuite.

— C'est que j'me suis avancé un peu et que j'ai dit à Capelli que si c'était « raisonnable » on répliquera pas.

— C'est ça que j'te dis. OK !

Big comprenait qu'il ne dirait jamais qu'il acceptait cette « punition ». Mais il connaissait suffisamment Pop pour savoir que si effectivement la réprimande entrait dans la grande catégorie des choses « raisonnables », ce serait « OK ».

Le bateau s'approchait du quai où il serait bientôt amarré. Big profitait du soleil et de la chaleur. Même ici, sur le fleuve, le soleil parvenait à le réchauffer. Il lui restait une question à aborder.

— Écoute Pop, hésitait-il. J't'ai déjà dit que je voulais prendre un peu de congés.

— Le réponse est non ! répliqua Pop.

— Attends... Tu sais qu'on a cherché Dumas partout et qu'il s'est volatilisé. J'ai même passé la nuit sur le fleuve parce qu'on pensait qu'il tenterait de s'enfuir en bateau et j'voulais lui couper aussi cette route-là. J'aurais pas détesté lui faire visiter l'Empress of Ireland. Une longue croisière dans un vieux bateau. J'suis certain qu'il aurait apprécié.

— Accouche Big, le coupa l'autre. Tu deviens sentimental avec l'âge. Qu'est-ce que ça vient faire avec tes vacances ? Si tu veux prendre une couple de jours, même une semaine ou deux... pas de problème. Le gros Dumas, on va le retrouver tôt ou tard. Alors parle...

— Ben c'est ça. Y a pu personne ici et j'prendrais bien sa place dans le coin pour plusieurs mois... peut-être pour toujours. J'pense que j'suis en train d'aimer ce coin de pays...

— Désolé vieux. Oublie ça. J'ai besoin de toi ici. Trouve quelqu'un d'autre, peut-être ton « chum » et rapplique à Montréal. J't'attends.

Pop raccrocha, laissant Big perplexe. Il savait, quand il avait décidé d'entrer dans ce milieu, que la retraite n'existait pas vraiment. Que c'était un contrat à très long terme. Mais quand on est jeune, l'avenir ne nous intéresse pas. Un an c'est long et dix ans, c'est l'éternité. On s'en préoccuperait quand ça arriverait, si jamais ça arrivait. Mais aujourd'hui, sur ce bateau, il se sentait usé dans son corps et dans son âme.

Il regardait ses hommes amarrer le bateau au quai. La poésie n'avait jamais été son fort mais il sentait qu'il avait besoin, comme ce bateau, d'arriver à son port, et de s'y arrêter...

Ce ne serait pas pour aujourd'hui... Ce serait peut-être jamais. Les regrets étaient un luxe et Big savait depuis longtemps qu'ils ne servent strictement à rien. Décidé, il se leva et quitta le yacht pour aller régler certains détails avant de rentrer. C'était sa vie. Il l'acceptait.

***

Palomino tentait, difficilement, d'enfiler une tenue « convenable » selon ses normes quand des cris retentirent dans le couloir de l'hôpital, qu'il souhaitait quitter au plus tôt. Les voix s'approchaient. En reconnaissant l'une d'elles, Tony leva les yeux au ciel. C'est pas possible. Pas ici, pas maintenant, se dit-il.

Sa mère fit alors irruption dans la pièce en engueulant, en italien évidemment, le cousin de Tony qui avait certainement dû être obligé de la conduire jusqu'à Rimouski. Tony eut de la peine pour lui qui avait probablement été obligé de supporter les cris et les lamentations de sa mère pendant cinq cents kilomètres. Pauvre Domenico !

— Ah, tou é là, dit-elle.

Elle s'approchait de son fils pour l'embrasser avec énergie comme toute bonne mère. Même si elle était au Canada depuis près de quarante ans, elle n'avait jamais perdu cet accent italien à couper au couteau.

— Mâ... qu'est-ce qu'ils t'ont fait mon bébé ? dit-elle en lui tenant les joues et en lui bougeant la tête.

— Est-ce que tou é bien soigné au moins ? continua-t-elle.

— Oui mamma. Tout va bien... Mais qu'est-ce que tu fiches ici ?

— Ahhh ! Y'é entendou aux nouvelles qué tou avais été blessé cette nuouite. Alors j'ai appelé Domenico pour qu'il me condouise ici. Ma il condouit mal et trop vite. Y'é suis soure qu'il a voulou mé touer.

Elle se tourna vers Domenico et menaça de le frapper.

— Mais non, mamma. Domenico t'aime bien. Mais ça me dit pas ce que tu es venue faire à Rimouski.

— Alaure, c'est soure que tou va bienne ? s'enquit-elle encore.

— Parfaitement, mamma. Les médecins m'ont très bien arrangé. J'vais seulement être obligé de porter un plâtre pendant quelques semaines.

Sa mère, se reculant un peu, lui asséna une retentissante gifle sur la joue.

— Dans cé cas, pourquoi tou a pas fé lé message pour qué Lisa mé téléphone ? Hein... Perché ?

Tony n'en revenait pas. En plus sa mère lui avait fait mal.

— Mais je lui ai fait le foutu message !

Sa mère en entendant le mot leva la main pour le gifler encore.

— Pas dé gros mots dévant ta mère, fils indigne, lui lança-t-elle.

— Mais j'te jure mamma. Je lui ai dit de te téléphoner.

Tony ne l'avait pas vue, mais pendant que sa mère le disputait, Lise était aussi entrée et semblait très amusée par la scène qui se déroulait devant elle.

— En plousse, tou mé mens. Après tou cé qué yé fé pour toi. Elle mé l'a dit qué tou n'a pas fé lé méssage.

Palomino venait d'apercevoir Lise. Sa seule vue lui fit oublier le reste. Ils s'approchèrent et s'embrassèrent tendrement. C'était, sans contredit, la meilleure nouvelle de la journée.

— Tu m'as manqué, lui dit-il.

— Toi aussi.

— Alaure, né mé dit pas qué tou lui a dit. Lisa, elle cé uné bonne fille. Elle né ment pas.

— Mais dis-lui que je t'ai demandé de lui téléphoner. Dis lui ! fit-il en regardant Lise.

— Désolée mon amour, mais tu as seulement dû penser que tu me le disais. Dans tes rêves peut-être, lui répondit-elle avec un clin d'œil.

Tony n'y comprenait plus rien. Mais c'était bien le genre de Lise de lui laisser le mauvais rôle. Juste pour voir ce qui arriverait. Il faudrait qu'il ait une bonne conversation avec cette fille.

— Dé touté façon, tou il é réglé maintenant.

— Qu'est-ce qui est réglé, demanda Tony en regardant Lise. Qu'est-ce que vous manigancez toutes les deux ?

— On né manigance rien. Uné mére né manigance jamais.

— Alors quoi ? Qu'est-ce qui se passe ? Qu'est-ce qui est réglé ?

— Y'é décidé qué vous né pouviez plou vivre dans lé péché. Alaure, avé Lisa, oune a décidé dé préparer le mariage. Parcé qué yé sé qué tou né l'aurais jamais démandé. Tou é trop imbécilé.

— Vous avez fait quoi ? dit Tony stupéfait.

— Est-ce que tu veux bien m'épouser ? demanda Lise en s'approchant de Tony. Parce que c'est ça la vraie question. Veux-tu vivre avec moi ?

— Tou vois, cé pas compliqué. Dé toute façon tou dit oui et avé Lisa y'é vé tou arranger.

La situation était définitivement hors de contrôle. Si les deux femmes qui occupaient le plus de place dans sa vie se liguaient contre lui, il n'y avait plus d'issue. Tony les regardait à tour de rôle s'attendant presque à ce que l'une des deux lui dise que c'était une blague. Mais sa mère, il le savait, ne blaguait pas sur ces questions. D'ailleurs, elle ne blaguait jamais, se rappela-t-il.

— Si je comprends bien, je n'ai plus qu'à accepter ?

— Tout à fait, lui répondit Lise avec son plus beau sourire.

De toute façon, se dit Tony, j'adore cette fille. Alors peut-être qu'elles ont raison.

— Eh bien… C'est cool ma poule. On se marie !

* * *

Il était sale, fatigué, et en plus, il avait faim. Dumas savait très bien qu'il lui fallait oublier, et pour longtemps, l'idée de s'arrêter pour se reposer. Son sixième sens l'avait prévenu à temps que l'étau se resserrait. Il ne pouvait pas attendre que le policier fasse les démarches pour le protéger et lui trouver une nouvelle identité. En s'approchant du bar, la veille, il avait vu les hommes de Big qui l'attendaient. Ils devaient tout savoir maintenant. Inutile de se demander comment Big réagirait s'ils parvenaient à lui mettre la main au collet. Il le savait très bien. Dans le meilleur des cas, ça irait vite et il se retrouverait avec les poissons dans le fleuve. Dans le pire… Juste d'y penser, la chair de poule lui remontait le long de la colonne. Pas besoin de penser au pire.

Il avait donc abandonné sa voiture et s'était dirigé, à pied, vers l'arrière pays. C'était son seul espoir. Tenter de s'évaporer dans la nature. Lui qui détestait l'exercice physique sous toutes ses formes serait contraint de marcher pendant des kilomètres pour mettre le plus d'espace possible entre Rimouski et lui. Il savait que toutes les routes étaient surveillées depuis qu'on avait décidé de son sort. Il y avait assez longtemps qu'il était dans le milieu pour en être certain. Sa seule chance, c'était les bois, la marche et la misère.

Au moins il avait prévu un peu le coup. Il avait amplement d'argent et un minimum de vivres.

L'avenir n'était pas rose mais au moins il était encore vivant. Dans quelque temps, il pourrait toujours essayer de contacter à nouveau le policier pour lui offrir des informations en échange de sa protection. Mais d'abord il fallait fuir. Il verrait pour la suite.

***

Pour la première fois de sa carrière, le capitaine Dufour n'avait pas respecté le règlement. Plus tôt, après la conférence de presse, il avait assisté à l'interrogatoire de Louise Barbeau. Il l'avait écoutée expliquer comment, avec sa sœur, elles avaient établi des plans pour prendre la place de la justice. Ou plutôt comment elles avaient convenu devenir le bras de la justice. De la vraie justice.

Il l'avait écoutée parler de sa fille. Du sort qu'elle avait eu et de celui que ses agresseurs avait subi de leur côté. Elle avait parlé d'inégalité. Elle avait parlé de droit d'agir et de bon sens.

Louise Barbeau était une femme défaite. Après tout ce qu'elle avait enduré au cours des dernières années, elle venait de voir mourir des personnes qu'elle aimait et avec qui elle partageait un désespoir insondable.

Dufour avait vu une femme vieillie prématurément et usée par les événements. Il avait surtout vu une femme toujours fière, consciente de ce qu'elle et les autres avaient fait, prête à accepter les responsabilités et à en assumer les conséquences. Elle ne regrettait rien. Elle savait au plus profond de son être que les méchants avaient enfin été punis. Comme ils le méritaient. Voilà. Tout était dit.

Ensuite, après avoir répondu à toutes les questions, on lui avait remis les menottes pour la ramener à la prison. En passant près de Dufour, elle lui avait lancé un regard implorant. Un regard rempli de tout l'amour du monde. Elle avait seulement dit deux mots, tout bas pour que seul le capitaine puisse l'entendre : « ma fille ».

Il l'avait regardée à son tour et il sut qu'il acceptait cette demande informelle. Qu'il enfreindrait le règlement pour cette femme qu'il ne connaissait pas mais qu'il respectait quand même.

Il avait bien fallu au moins une heure, en fin de journée, après avoir usé de toute son influence et de son titre, pour qu'on accepte de la laisser sortir seule avec lui.

Il était donc là, dans une petite pièce sans attrait où quelques jouets traînaient sur le sol, des jouets neufs qui semblaient n'avoir jamais été utilisés, qui n'avaient jamais distrait ni amusé personne. Une petite pièce sombre et triste malgré les efforts du personnel pour l'animer et la rendre plus accueillante. Une petite pièce où la seule fenêtre s'ornait de barreaux métalliques, comme si l'occupant était un être dangereux dont il fallait protéger le reste du monde.

Au centre de la cellule était assise une petite fille, les yeux fixés au sol, qui se balançait d'avant en arrière. Inlassablement. Elle portait une petite tenue qui convenait mieux aux besoins de ceux qui devaient la soigner qu'à ceux d'une fillette de son âge.

Devant elle se tenait Louise Barbeau. Dufour se sentait de trop dans la pièce exiguë. Il avait l'impression de troubler une intimité qui n'existait pourtant pas. Pour qu'il y ait intimité entre deux personnes, il fallait que les deux personnes le souhaitent. Or, ici, il y avait une mère et une enfant. Deux êtres seuls, dont l'une aurait tellement voulu voir un signe de vie et de compréhension dans les yeux de l'autre. Louise Barbeau aurait tellement voulu que sa fille la reconnaisse. Juste une fois. Juste pour qu'elle sache à quel point sa mère l'aimait.

La fillette se balançait au milieu des jouets, au milieu de la pièce, inconsciente de ce qui l'entourait. Debout, sa mère la regardait et, encore une fois, ses yeux se remplirent de larmes. Elle s'avança doucement en se penchant pour tenir la petite dans ses bras avec toute la tendresse que lui donnait son amour. Sophie se laissa faire, comme si ça ne la concernait pas.

Louise, sa fille dans les bras, chantait une berceuse qu'elle devait déjà lui chanter alors qu'elle était bébé. Un air qui devait la faire sourire à l'époque. Un air qu'elle devait demander tous les soirs à sa mère pour éloigner les cauchemars et les monstres qui viennent avec la noirceur et la nuit. Un air qui aurait dû la protéger, avait cru sa mère.

Louise continuait à chanter en tenant sa fille blottie au creux de ses bras. Ses sanglots mouillaient les cheveux de l'amour de sa vie.

Dufour les regardait. Témoin privilégié de l'amour d'une mère pour son enfant. Quand, enfin, Louise laissa sa fille pour se tourner vers le capitaine, elle vit des larmes dans ses yeux. Elle donna un dernier baiser à sa fille et se leva.

— Ne pleurez pas, capitaine. Où que je sois dorénavant, je serai toujours près de ma fille. Nous nous retrouverons dans son monde. J'aurai bien le temps de découvrir où il se trouve...

Elle sortit de la pièce en s'imprégnant une dernière fois de l'image de son enfant.

***

Ève était assise sur les roches de la grève et regardait le fleuve. Elle était encore bouleversée. Déchirée. Elle ne cessait de voir les yeux de Sandra Michaud et d'entendre sa plainte. Elle comprenait parfaitement qu'on ne survit pas à autant d'horreurs. Sandra Michaud était morte il y a des années, quand on avait retrouvé le corps brisé de son fils. Elle était morte à ce moment-là. À cet instant précis. Son humanité lui avait été retirée. Ce qui s'est passé ensuite n'avait fait qu'ajouter à sa détresse.

Ève Saint-Jean n'était pas capable de réfléchir comme aurait dû le faire un policier de carrière. Elle n'était pas capable d'avoir ce détachement. La vision des enfants torturés, battus, violés la hantait. Elle entendait leurs cris et leurs pleurs quand les bourreaux s'acharnaient à détruire leur enfance et leur vie. Elle entendait les hurlements quand on brisait leurs corps. Elle entendait leurs appels pour que leur mère ou leur père vienne les délivrer. Elle sentait leur désespoir en se rendant compte que personne ne viendrait.

Ève pleurait. Solitaire comme l'avaient été ces enfants. Isolée comme l'avaient été ces parents. L'injustice de toute cette histoire la révoltait.

Elle entendit quelqu'un qui s'approchait. Mais elle ne se retourna pas. Sa tristesse la confinait, pour le moment, à être seule dans l'univers.

Délicatement, des mains se posèrent sur ses épaules. Lui massant la nuque. La réalité et l'amour de la vie reprirent lentement leurs droits. Elle savait très bien qui était avec elle. Sans se retourner, elle mit sa main sur celle de Serge L'Écuyer. C'était la seule personne pour le moment qui pouvait savoir où elle se réfugiait.

Pendant un long moment, il n'y eut pas un mot. Seulement une présence réconfortante qui apportait à Ève un peu de chaleur dans le froid qui emplissait son âme.

Elle savait qu'il lui faudrait découvrir une autre façon de voir les choses. Mais c'était pour le moment au-dessus de ses forces.

— Tu sais, lui murmura le médecin, l'amour a encore sa place dans le monde et dans ta vie... Il y a encore de belles choses à découvrir. Et être mère fera aussi partie des merveilles que tu connaîtras un jour.

Ève était incapable de répondre ou de parler. Les larmes coulaient sur ses joues. Sa peine semblait intarissable.

— J'crois pas que j'en serai jamais capable, parvint-elle à dire entre deux sanglots.

— Bien sûr que tu vas y arriver. Ce dont tu as pris conscience hier, c'est la partie la plus laide de la vie. Malheureusement elle existe aussi. Mais ce n'est rien à côté du bonheur d'avoir un enfant... Et chacun des sourires ou chacune des caresses qu'ils te font valent et vaudront toujours les efforts que les parents font. C'est ça la vraie vie...

Assise sur ces roches, regardant le fleuve, Ève était incapable de dire s'il avait raison ou non, même si elle voulait tellement y croire...

— Tiens-moi fort... S'il te plaît.

Ils restèrent ainsi longtemps. Peut-être des heures. Sans dire un mot. Sentant simplement leur présence mutuelle. Ils restèrent ainsi jusqu'à ce que le soleil se couche enfin dans le fleuve dans une débauche d'orangés et d'ocre. Comme pour leur montrer que la beauté existait encore... quelque part.

Enfin, Ève se leva, regardant le soleil dans les yeux. Elle se tourna doucement vers Serge.

— J'ai faim, dit-elle simplement.

Il lui prit la main et ils partirent ensemble. Ève Saint-Jean guérirait. Serge le savait maintenant.